U0113549

齊白石全集

第六卷：繪畫

齊白石

凡例

一　《齊白石全集》分雕刻、繪畫、篆刻、書法、詩文五部分,共十卷。

二　本卷為盛期繪畫。收入一九四五年至一九四八年繪畫作品三〇三件,繪畫作品按年代順序排列。

三　本卷内容分為二部分:一圖版,二著録、注釋。

目録

目録

繪畫(一九四五年——九四八年)

著録・注釋

CONTENTS

CONTENTS

PAINTINGS (1945—1948)

BIBLIOGRAPHY, AND ANNOTATIONS

繪畫

一　富貴太平圖　一九四五年　縱一一七·八厘米　橫五〇·三厘米

二　牡丹　一九四五年　縱一〇三厘米　橫三五厘米

三　雁來紅蝴蝶（花果草蟲册頁之一）　一九四五年　縱二三厘米　横三〇厘米

四　鳳仙花螞蚱（花果草蟲册頁之二）一九四五年　縱二三厘米　横三〇厘米

五　絲瓜蟈蟈（花果草蟲册頁之三）一九四五年　縱二三厘米　横三〇厘米

六　稻穗螳螂（花果草蟲册頁之四）一九四五年　縱二三厘米　横三〇厘米

七　葫蘆天牛（花果草蟲册頁之五）一九四五年　縱二三厘米　橫三〇厘米

八　楓葉秋蟬（花果草蟲册頁之六）一九四五年　縱二三厘米　橫三〇厘米

九　蓮蓬蜻蜓（花果草蟲册頁之七）一九四五年　縱二三厘米　横三〇厘米

十　油燈飛蛾（花果草蟲册頁之八）一九四五年　縱二三厘米　横三〇厘米

十一　筠籃新笋　一九四五年　縱一三六・一厘米　橫三三・五厘米

十二 玉簪蜻蜓 一九四五年 縱一〇三厘米 横三四厘米

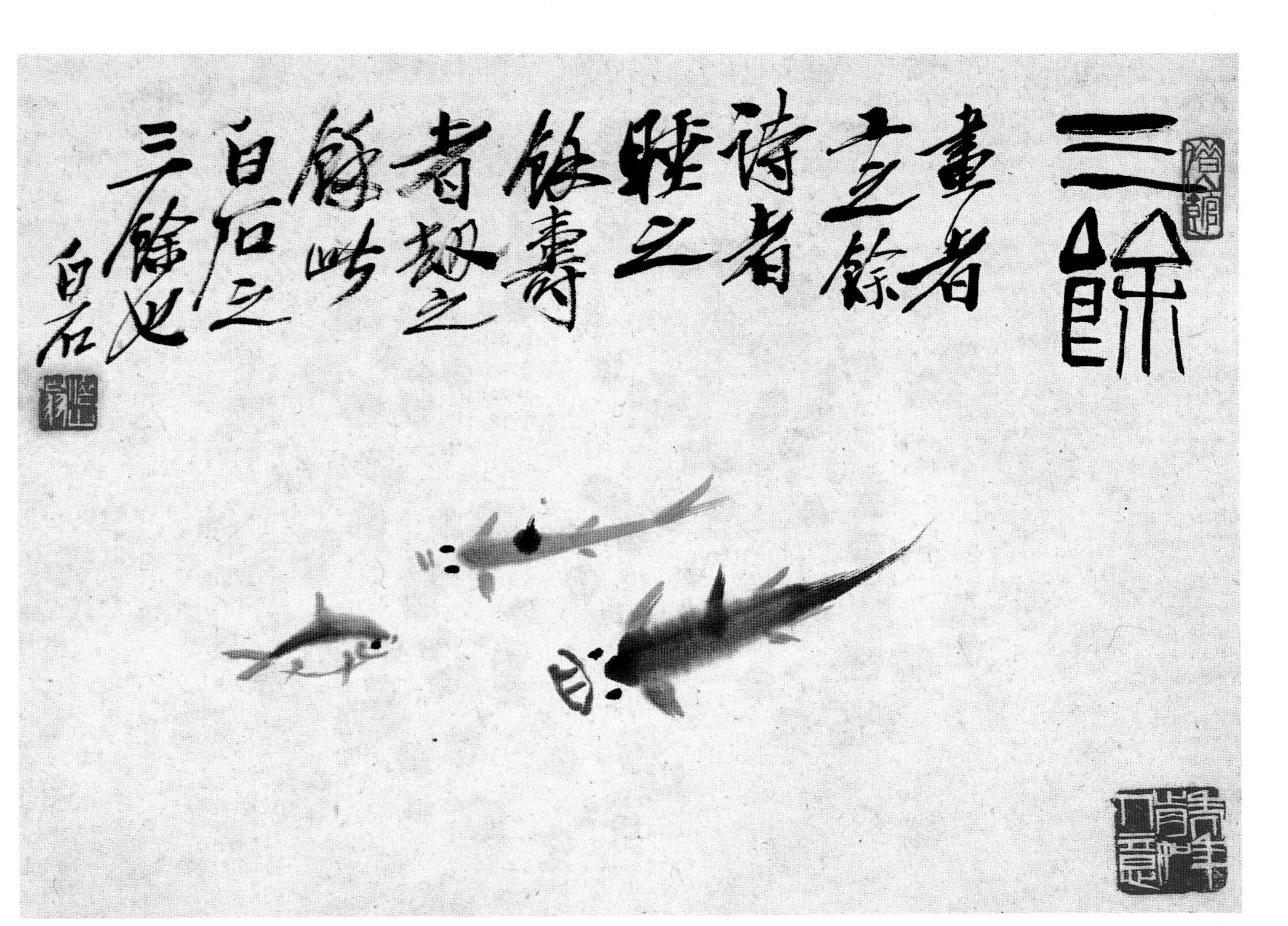

十三　三魚（花卉魚鳥册頁之一）　一九四五年　縱二五厘米　横三三厘米

十四　藤花（花卉魚鳥册頁之二）一九四五年　縱二五厘米　橫三三厘米

十五　蓮蓬翠鳥（花卉魚鳥册頁之三）　一九四五年　縱二五厘米　横三三厘米

十六　瓶花（花卉魚鳥册頁之四）一九四五年　縱二五厘米　橫三三厘米

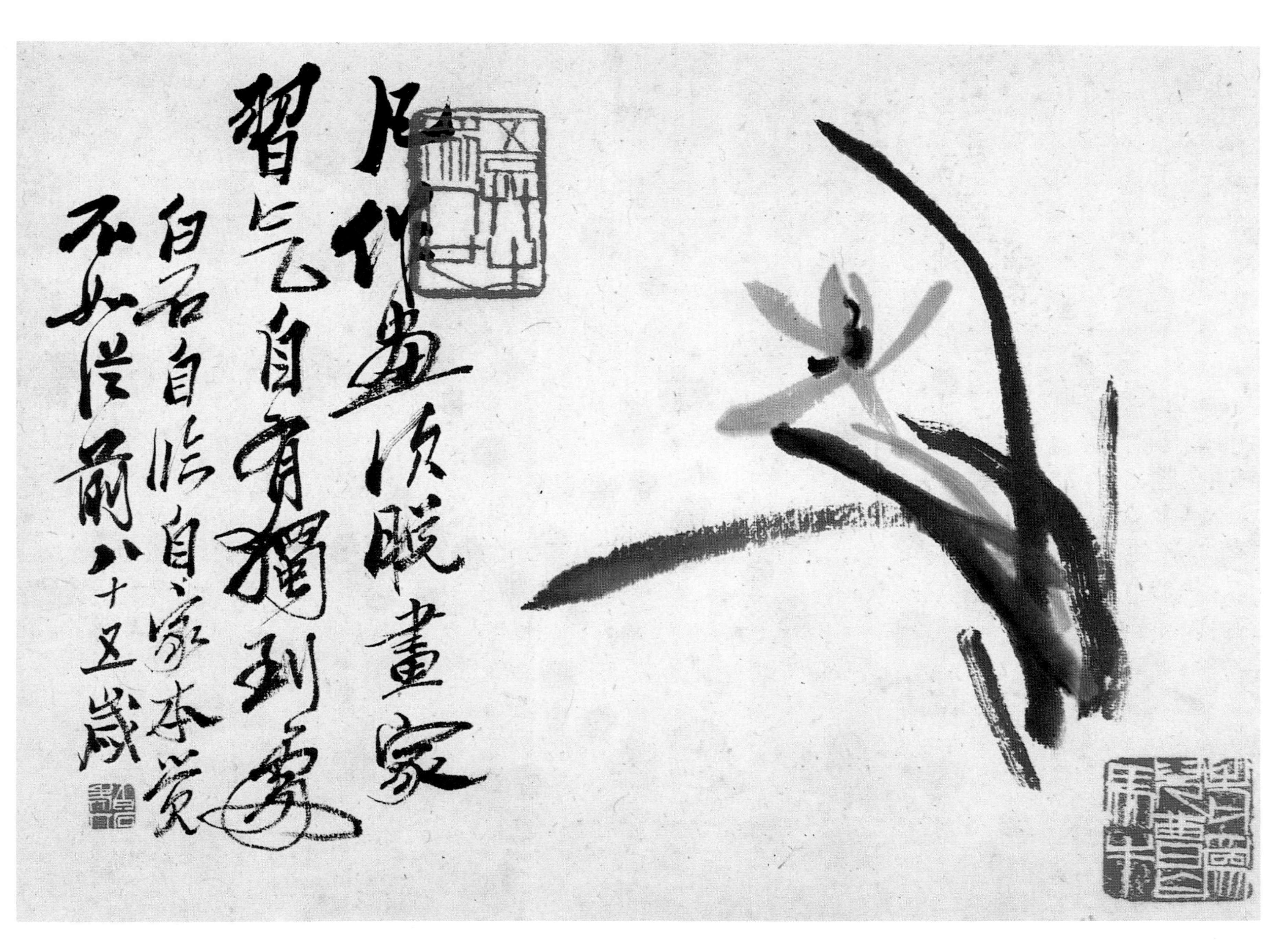

十七　蘭花（花卉魚鳥册頁之五）　一九四五年　縱二五厘米　横三三厘米

十八

貝葉草蟲

約一九四五年　縱九〇·三厘米　橫四一·四厘米

貝葉草蟲（局部）

十九　貝葉草蟲　一九四五年　縱一〇一厘米　橫三四厘米

貝葉草蟲（局部）

二〇 貝葉草蟲 一九四五年 縱一〇三·五厘米 橫三四厘米

二一　秋趣圖　一九四五年　縱一〇三厘米　橫三二厘米

二二一　百歲壽酒　一九四五年　縱六七厘米　橫三三·五厘米

二三 有色香味 一九四五年 縱八五厘米 橫三一·五厘米

二四　讀書出富貴　一九四五年　縱六八・五厘米　橫三二厘米

二五　蝦

一九四五年　縱八九厘米　橫三三·五厘米

二六　葡萄老鼠　一九四五年　縱一〇四厘米　橫三四·五厘米

二七　桃花　一九四五年　縱九七厘米　橫三四厘米

二八　墨蘭　一九四五年　縱一三六厘米　橫三三厘米

二九　牡丹蜻蜓

一九四五年　縱一一〇厘米　橫三五厘米

三〇　松鼠荔枝　一九四五年　縱九〇厘米　橫四〇厘米

三一　老鼠葡萄　一九四五年　縱七三厘米　橫三二·五厘米

三二一　牽牛花　一九四五年　縱六六厘米　横三三厘米

三三　挖耳圖　一九四五年　縱一一〇厘米　横五〇·五厘米

三四　盜瓮圖　一九四五年　縱九五厘米　橫五三厘米

三五　畢卓盜酒　約四十年代中期　縱九五厘米　横五〇・二厘米

三六　芋魁

約四十年代中期　縱一〇四厘米　橫四三厘米

三七　事事清白　一九四五年　縱一〇三厘米　橫三四厘米

三八

牡丹蜜蜂

一九四五年 縱六一厘米 橫三二厘米

三九 水芋青蛙 一九四五年 縱九九厘米 橫三一厘米

四〇　小鷄争食　一九四五年　縱五三厘米　横四八·五厘米

四一　青蛙蝌蚪（扇面）一九四五年　縱一七厘米　橫五六·六厘米

四二　蝦　一九四五年　縱三七厘米　横五二厘米

白石老人

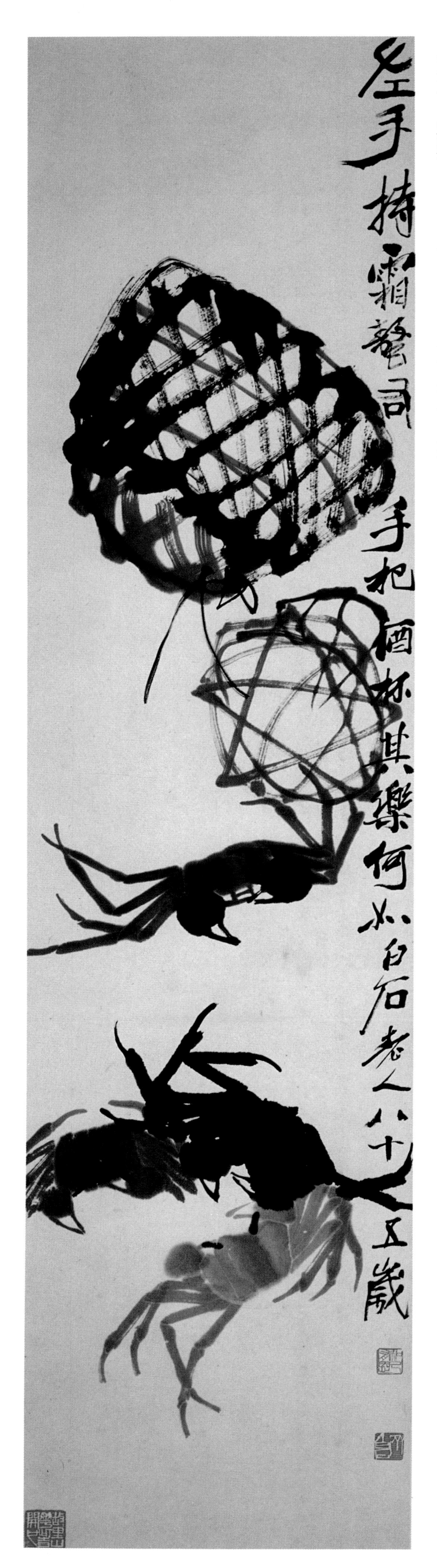

四三　簍蟹　一九四五年　縱一三四厘米　橫三四厘米

四四　六蟹圖　一九四五年　縱一〇四・一厘米　橫三四・八厘米

四五　牽牛花

一九四五年　縱六六·七厘米　橫三三厘米

四六　福壽無疆　一九四五年　縱九九·五厘米　橫三三厘米

四七　西瓜蝴蝶　一九四五年　縱一〇一厘米　橫三三·六厘米

四八　藤花蜜蜂

約四十年代中期　縱六九厘米　橫三三厘米

四九　蔬香圖　一九四五年　縱三三·二厘米　橫一〇〇厘米

蔬香圖

五〇　壽桃　一九四五年　縱一三六・五厘米　橫三五・五厘米

五一　燈蟹　一九四五年　縱一〇四・五厘米　橫三三厘米

五二　松樹白屋（扇面）　一九四五年　縱一七厘米　橫四八·五厘米

五三　益壽延年　一九四五年　縱一四二厘米　橫三四厘米

五四　八哥海棠　一九四五年　縱一〇五厘米　横三四·七厘米

五五　歲朝圖　一九四五年　縱一三六厘米　橫三四厘米

五六　枇杷　一九四五年　縱一〇四厘米　橫三六厘米

五七　荔枝蜻蜓圖

約四十年代中期　縱一〇三厘米　橫三四厘米

五八　祥鴉

約四十年代中期　縱一三六厘米　橫六〇·五厘米

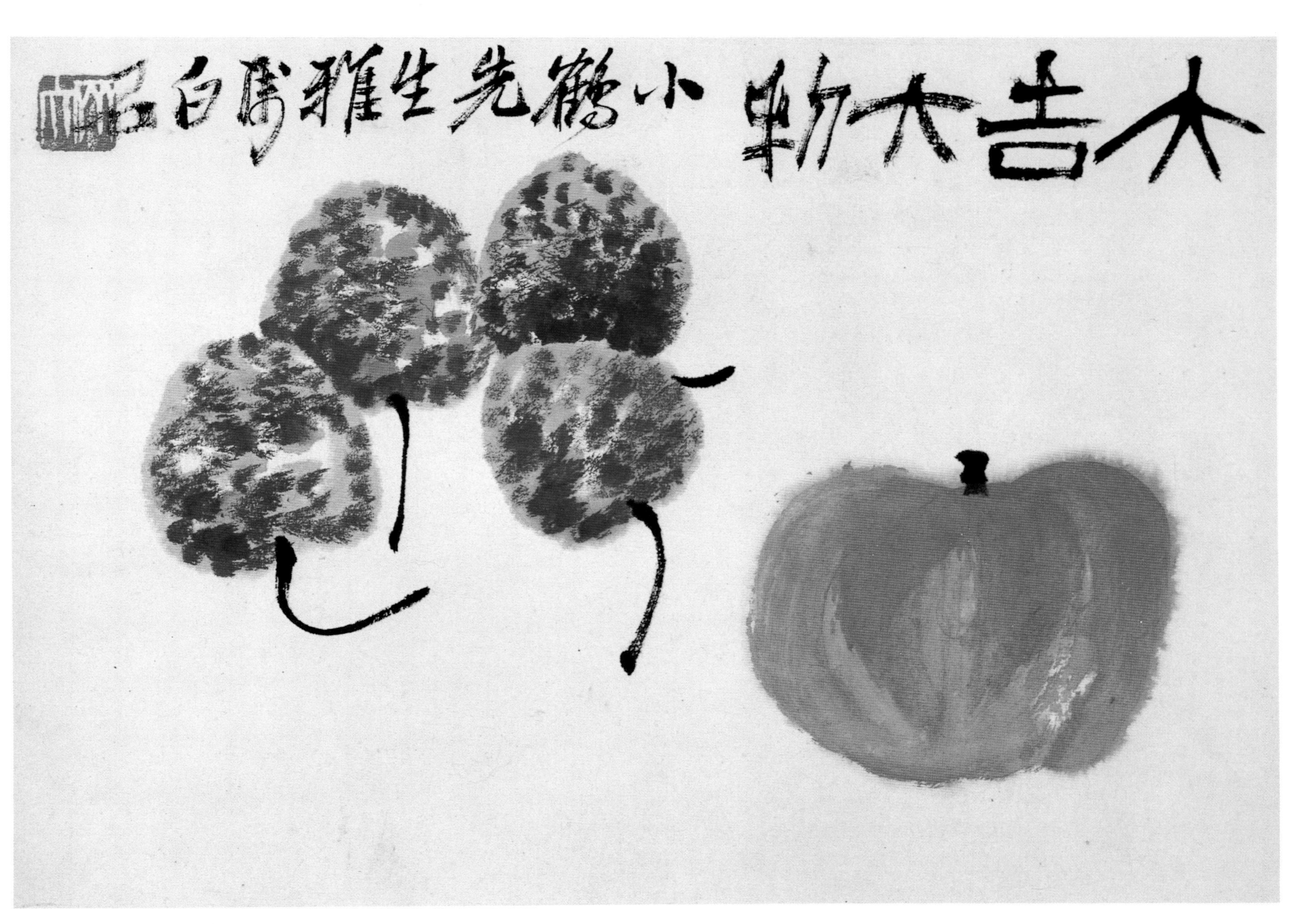

五九　大吉大利 約四十年代中期　縱一七·四厘米　橫二五厘米

六〇　作伴祇蘆花

約四十年代中期　縱一一二厘米　橫三八厘米

六一　富貴有餘　一九四五年　縱一三五・五厘米　橫三四厘米

六二　獨立堅固　一九四五年　縱一三六・五厘米　橫三四厘米

六三　芋葉青蛙

約四十年代中期　縱六八・六厘米　橫三四・二厘米

六四　老當益壯　一九四五年　縱九六·三厘米　横四〇·五厘米

六五　挖耳圖　一九四五年　縱六八厘米　橫三四·二厘米

六六　蟠桃　一九四六年　縱一〇一厘米　橫三四·五厘米

六七　燈鼠　一九四六年　縱六九厘米　橫三四厘米

六八　紅蓼三蝦　一九四六年　縱六八·六厘米　橫三二·八厘米

六九　蝦

一九四六年　縱一三三厘米　横三三·五厘米

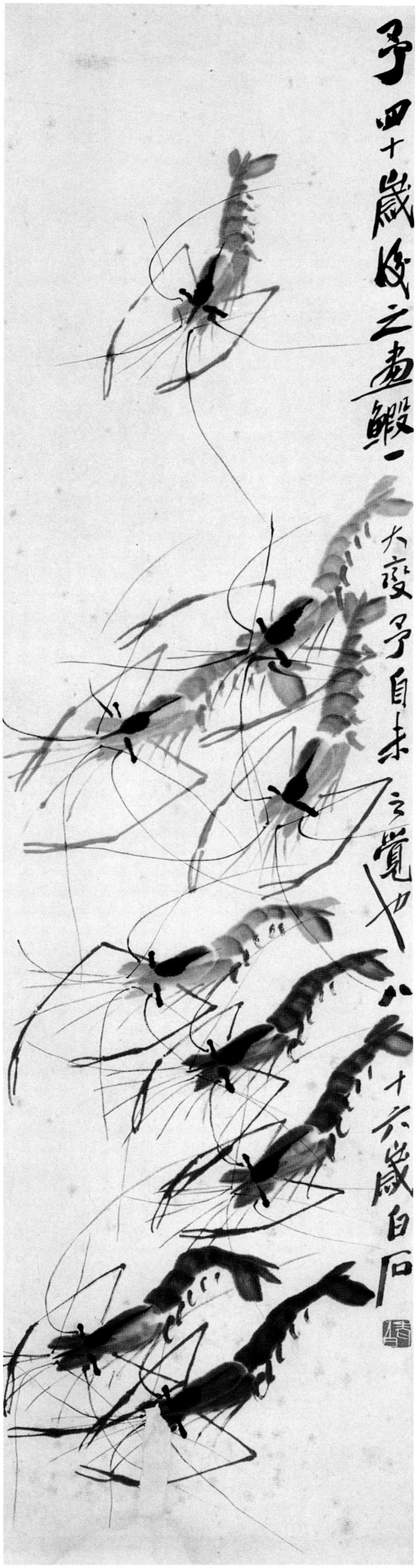

七〇 籬菊圖 一九四六年 縱九六厘米 橫三七厘米

七一　梅蝶圖　一九四六年　縱一〇四厘米　橫三四厘米

七二　荷花　一九四六年　縱一〇一厘米　横三四厘米

七三　菊花　一九四六年　縱一〇二厘米　横三四厘米

七四　桂花雙兔　一九四六年　縱一〇四厘米　橫三三厘米

七五　百壽　一九四六年　縱一〇三厘米　橫三四厘米

七六　稻草麻雀　一九四六年　縱一三五·七厘米　橫三二·四厘米

七七　雙壽圖　一九四六年　縱一〇一·六厘米　橫三三·一厘米

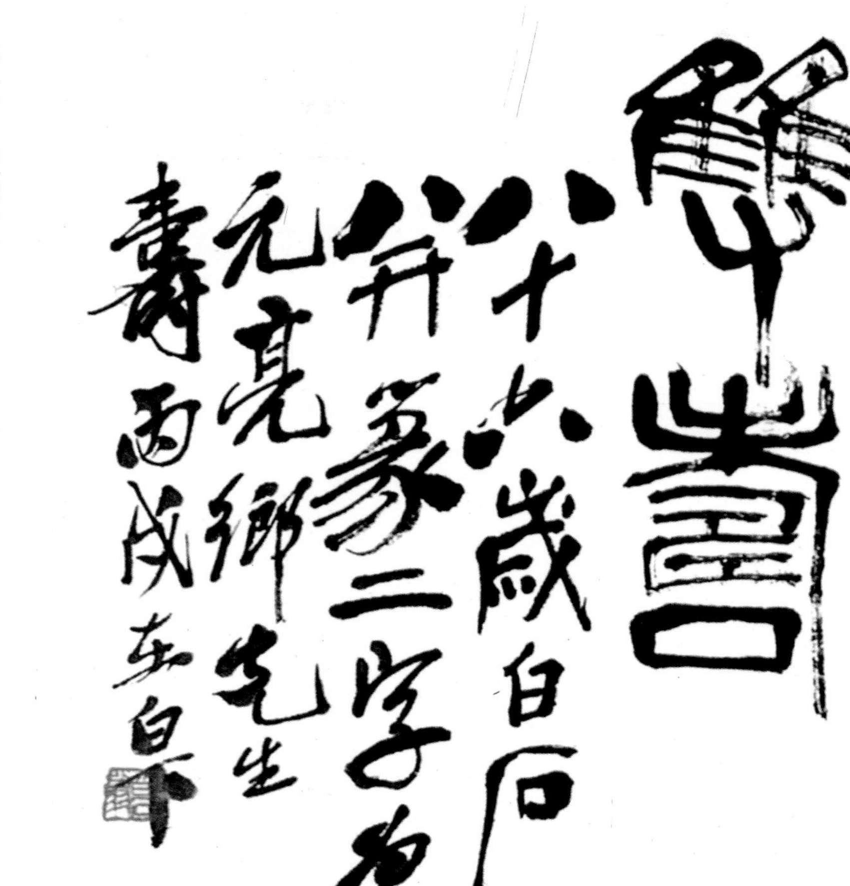

七八　海棠　一九四六年　縱一〇三厘米　橫三二厘米

七九　雙桃　一九四六年　縱一〇〇厘米　橫三四厘米

八〇 荷花

一九四六年 縱六九厘米 横三七厘米

八一　花草神仙(扇面)　一九四六年　縱一八厘米　橫四九·五厘米

八二　蝴蝶蘭　一九四六年　縱一二四厘米　橫四〇厘米

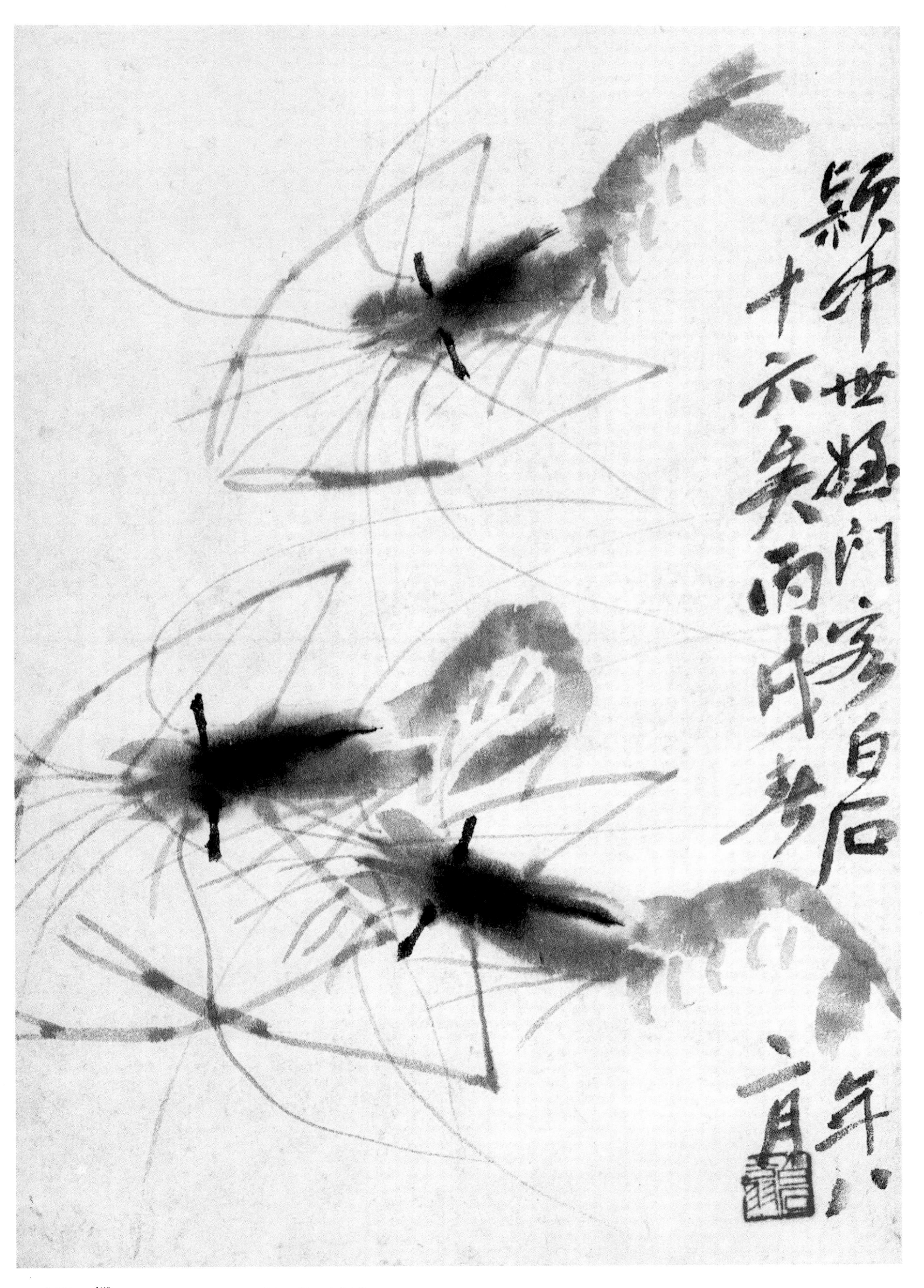

八三　蝦　一九四六年　縱三八厘米　橫二六厘米

八四　蝦

約四十年代中期　縱一一二厘米　横四〇厘米

八五　群蝦　約四十年代中期　縱六二·二厘米　橫三二·四厘米

八六　茶花

約四十年代中期　縱一三四·二厘米　橫三二·八厘米

八七　新粟米炊魚子飯（約四十年代中期　縱一〇一厘米　横三三厘米

八八
甘芳圖
約四十年代中期　縱一〇一厘米　橫三三厘米

八九　大利圖　約四十年代中期　縱八八厘米　横三一厘米

九〇

栩栩欲飛

約四十年代中期　縱一〇〇厘米　橫三三厘米

九一　烏子藤

約四十年代中期　縱一〇四厘米　橫三五厘米

九二　大富貴　約四十年代中期　縱一〇〇厘米　橫三三·五厘米

九三　櫻桃（扇面）約四十年代中期　縱二四厘米　橫五三厘米

九四 貝葉草蟲

約四十年代中期 縱一〇二厘米 橫三四厘米

九五　菊蟹酒盞圖

約四十年代中期　縱六八厘米　橫三二·五厘米

九六　梅花

約四十年代中期　縱九三·五厘米　橫三〇厘米

九七　三多　約四十年代中期　縱一一五厘米　橫四七厘米

九八　事事安然　約四十年代中期　縱七〇・五厘米　橫四〇厘米

九九　秋色秋聲　一九四六年　縱一〇一厘米　横三四厘米

一〇〇 魚戲圖

約四十年代中期 縱五八厘米 橫三三厘米

一〇一　牽牛鶴鴣　約四十年代中期　縱一〇一厘米　橫三四厘米

一〇二 荔枝

約四十年代中期 縱一〇四·五厘米 橫三四·五厘米

一〇三　花實各三千年

約四十年代中期　縱一一〇厘米　橫三八厘米

一〇四　貝葉秋蟬圖　約四十年代中期　縱一〇七厘米　橫三五厘米

一〇五　群魚圖　約四十年代中期　縱八四·五厘米　橫四一·五厘米

一〇六 紫藤 約四十年代中期 縱一三六厘米 橫三五厘米

一〇七 **玉蘭花**

約四十年代中期 縱一〇一厘米 橫三二厘米

一〇八 瓶菊酒盞圖 約四十年代中期 縱九七厘米 橫三三厘米

一〇九　蘿蔔竹笋 （扇面） 約四十年代中期　縱二四厘米　橫三四厘米

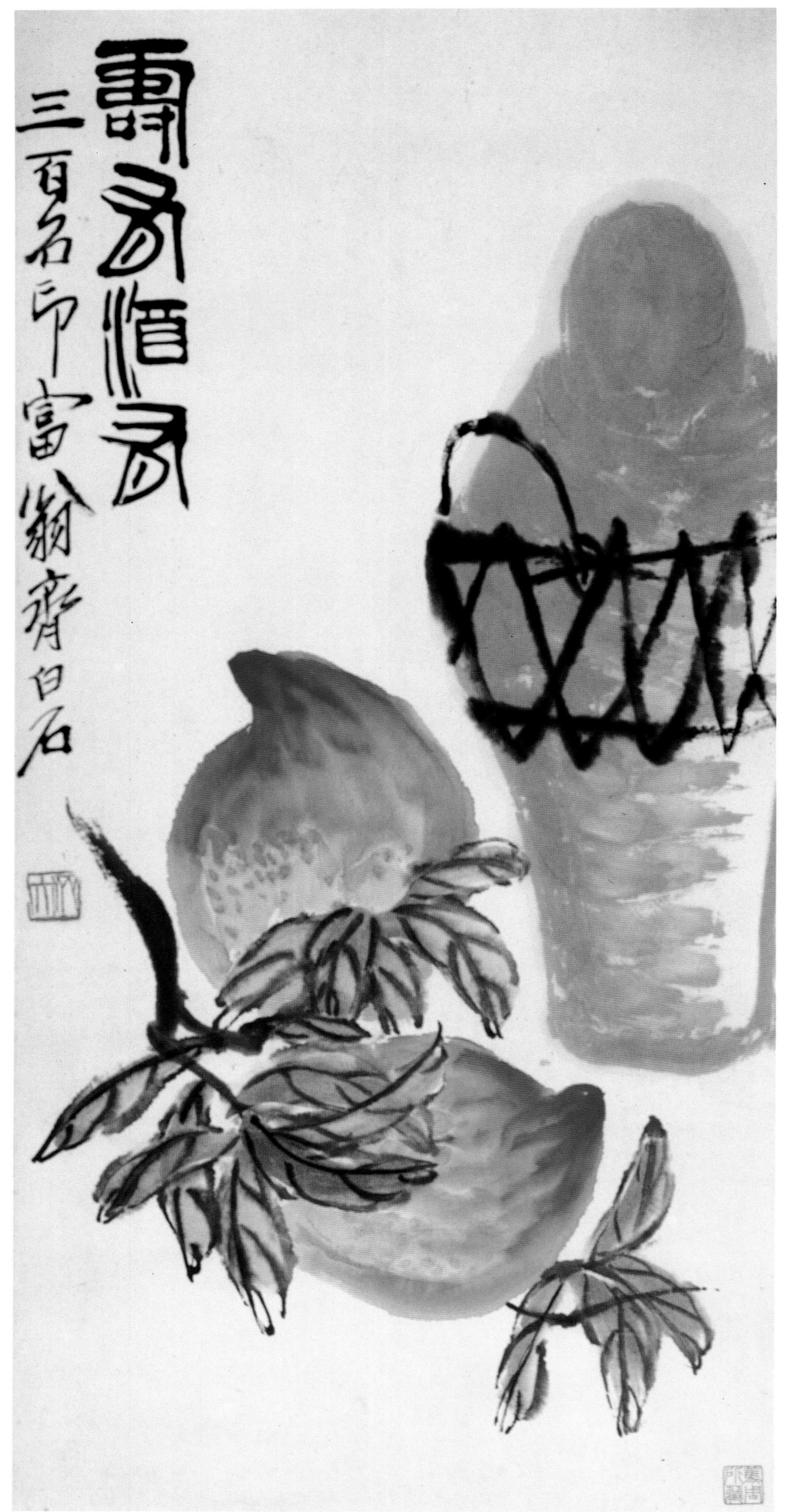

一一〇　壽有酒有　約四十年代中期　縱六八厘米　橫三三·五厘米

一一一　荔枝蟋蟀　約四十年代中期　縱七〇厘米　橫三四·五厘米

一一二　絲瓜
約四十年代中期　縱一〇三·五厘米　横三五厘米

一一三　寒夜客來茶當酒

約四十年代中期　縱一〇二厘米　橫四四厘米

一一四　草蟲　約四十年代中期　縱三二厘米　橫四〇·五厘米

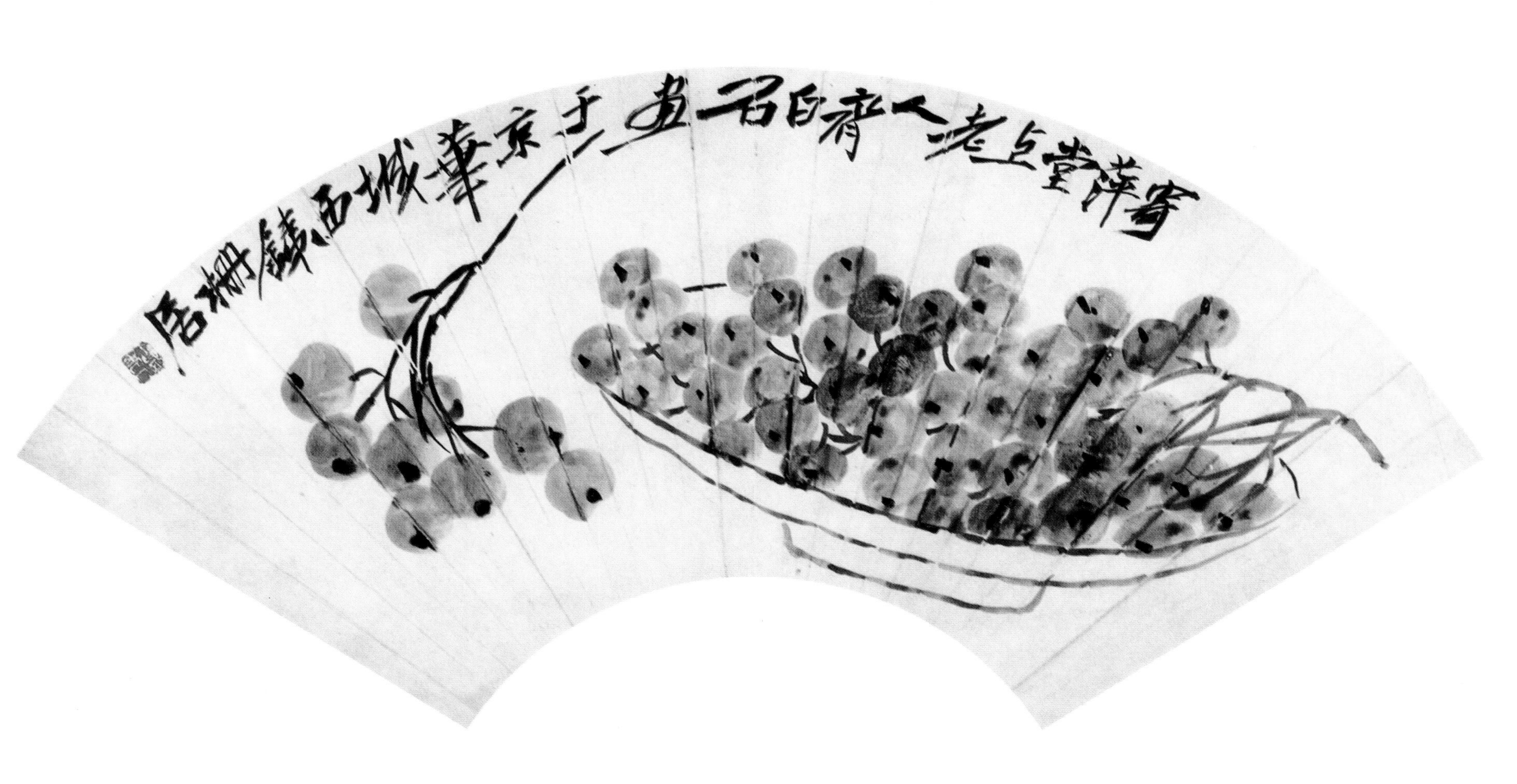

一一五　墨葡萄（扇面）約四十年代中期　縱一八厘米　横五〇厘米

一一六　蘿蔔冬笋　約四十年代中期　縱三二·七厘米　橫三四厘米

一一七　柿酒圖　約四十年代中期　縱一〇一・八厘米　橫三四・五厘米

一一八　大富貴圖（扇面）約四十年代中期　縱一八厘米　橫五三厘米

一一九　枇杷蜻蜓　約四十年代中期　縱三五厘米　橫三四厘米

一二〇　荷花翠鳥　約四十年代中期　縱一〇〇·二厘米　橫三四·二厘米

荷花翠鳥（局部）

一二一 秋柿圖

約四十年代中期 縱九九·六厘米 橫三三·三厘米

一二二　魚群　約四十年代中期　縱一〇〇厘米　橫三四厘米

一二三　教子加官　一九四六年　縱九九・五厘米　横三三・五厘米

一二四　荷花　一九四六年　縱九七厘米　橫三五・五厘米

一二五　群蝦　一九四六年　縱一〇〇厘米　橫三四厘米

群蝦（局部）

一二七　紅梅八哥

約四十年代中期　縱一二六厘米　橫三四厘米

一二八　菊花

約四十年代中期　縱六八厘米　橫三四厘米

一二九　紅荷

一九四六年　縱一〇二厘米　横三四厘米

一三〇 富貴壽考 一九四六年 縱一〇三厘米 橫三四厘米

一三一　葫蘆草蟲　一九四六年　縱一〇二厘米　橫三四厘米

一三二　魚蝦負我　一九四七年　縱一〇〇厘米　橫三三厘米

一三三　多壽　一九四七年　縱一〇〇厘米　橫三四・五厘米

一三四　楓葉秋蟬　一九四七年　縱六五厘米　横三三厘米

一三五　名園無二　一九四七年　縱一〇五厘米　橫三五厘米

一三六　花香墨香蝶舞墨舞都不能知　一九四七年　縱一〇五厘米　橫三五厘米

一三七　葡萄松鼠（蔬果動物册頁之一）　一九四七年　縱三四厘米　横三四厘米

一三八　盆草荔枝（蔬果動物册頁之二）一九四七年　縱三四·三厘米　横三四厘米

一三九　竹笋麻雀（蔬果動物册頁之三）一九四七年　縱三四厘米　橫三四厘米

一四〇　油燈老鼠（蔬果動物册頁之四）　一九四七年　縱三四·二厘米　横三三·八厘米

一四一　海棠小鷄（蔬果動物册頁之五）一九四七年　縱三四·二厘米　橫三三·八厘米

一四二　酒壺螃蟹（蔬果動物册頁之六）一九四七年　縱三四·三厘米　横三四厘米

一四三　枇杷蜻蜓（蔬果動物册頁之七）一九四七年　縱三四厘米　横三四厘米

一四四　菊花茶壺（蔬果動物册頁之八）　一九四七年　縱三三·九厘米　橫三三·七厘米

一四五　鼠·燭　一九四七年　縱一〇三厘米　橫三三·五厘米

一四六　大富貴兩白頭　一九四七年　縱一〇二厘米　橫三四厘米

一四七　螃蟹　一九四七年　縱六八厘米　橫三四厘米

一四八　蜻蜓牽牛花　一九四七年　縱九六厘米　橫五〇厘米

一四九　蜻蜓牽牛花

一九四七年　縱六九厘米　横三三厘米

一五〇　鳳仙花　一九四七年　縱九六厘米　橫三五厘米

一五一 石榴 一九四七年 縱九四厘米 橫三五厘米

一五二　富貴壽考　一九四七年　縱一〇三·五厘米　橫三三·五厘米

一五三　許君雙壽圖　一九四七年　縱九五・五厘米　橫三六・五厘米

一五四　牽牛花　一九四七年　縱五〇厘米　橫三五·五厘米

一五五　葡萄蝗蟲　一九四七年　縱一二〇厘米　橫三〇厘米

一五六　吉利萬年

一九四七年　縱一五一・五厘米　橫六〇厘米

一五七　蝦　一九四七年　縱一四二厘米　橫二八厘米

一五八　蝴蝶蘭・蜻蜓

一九四七年　縱一一一・五厘米　橫四七厘米

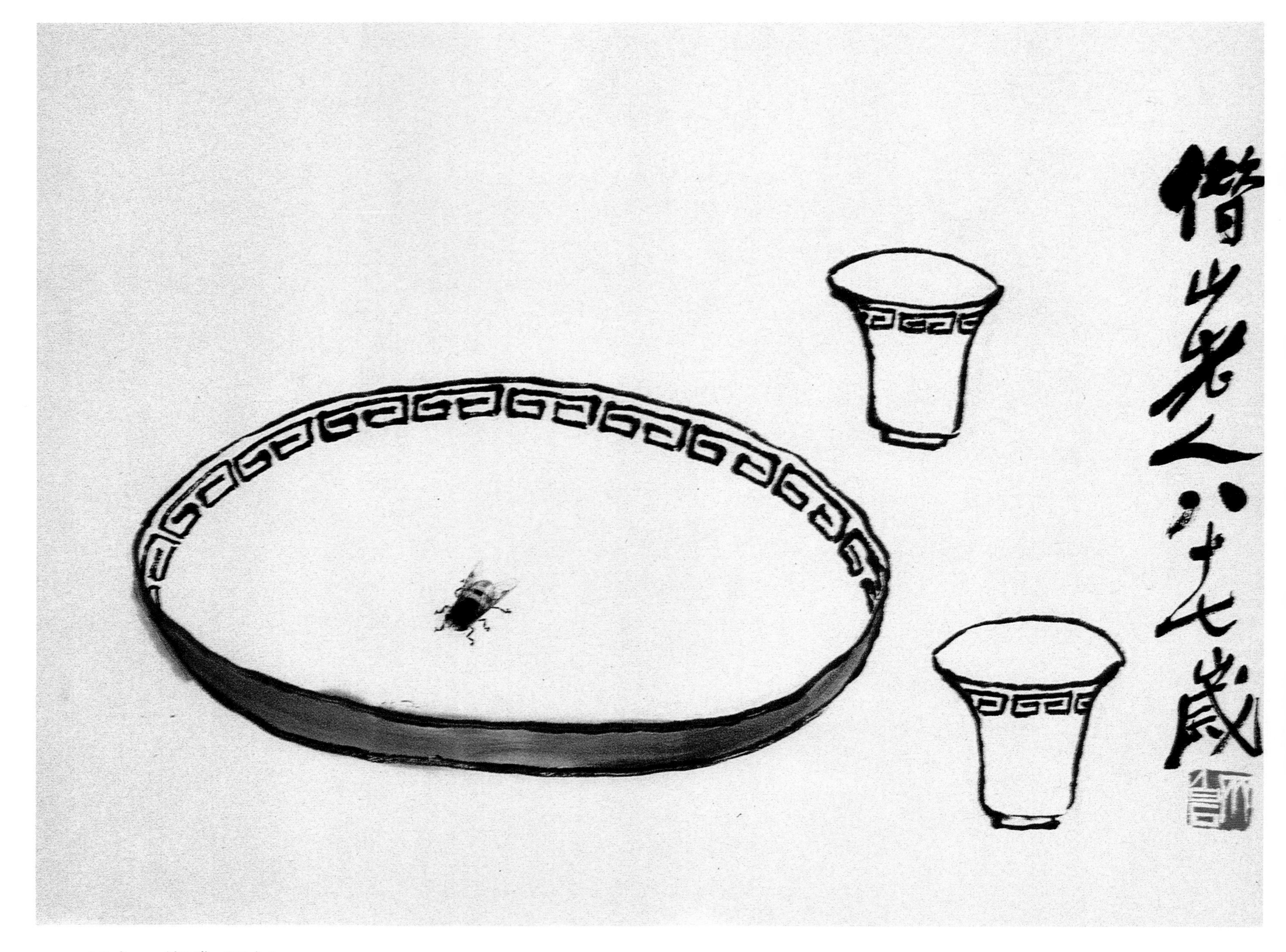

一五九　蜂碟·酒杯　一九四七年　縱二八厘米　橫三六厘米

一六〇　金玉滿堂　一九四七年　縱一九厘米　橫三五·五厘米

一六一 殘荷蜻蜓 一九四七年 縱五四厘米 橫三〇厘米

一六二　楓林草蟲　一九四七年　縱九八厘米　横三二厘米

一六三　色香堅固　一九四七年　縱一二八厘米　橫三四厘米

一六四　多壽　一九四七年　縱一〇二厘米　橫三一·五厘米

一六五　與語如蘭　一九四七年　縱三二厘米　橫二五厘米

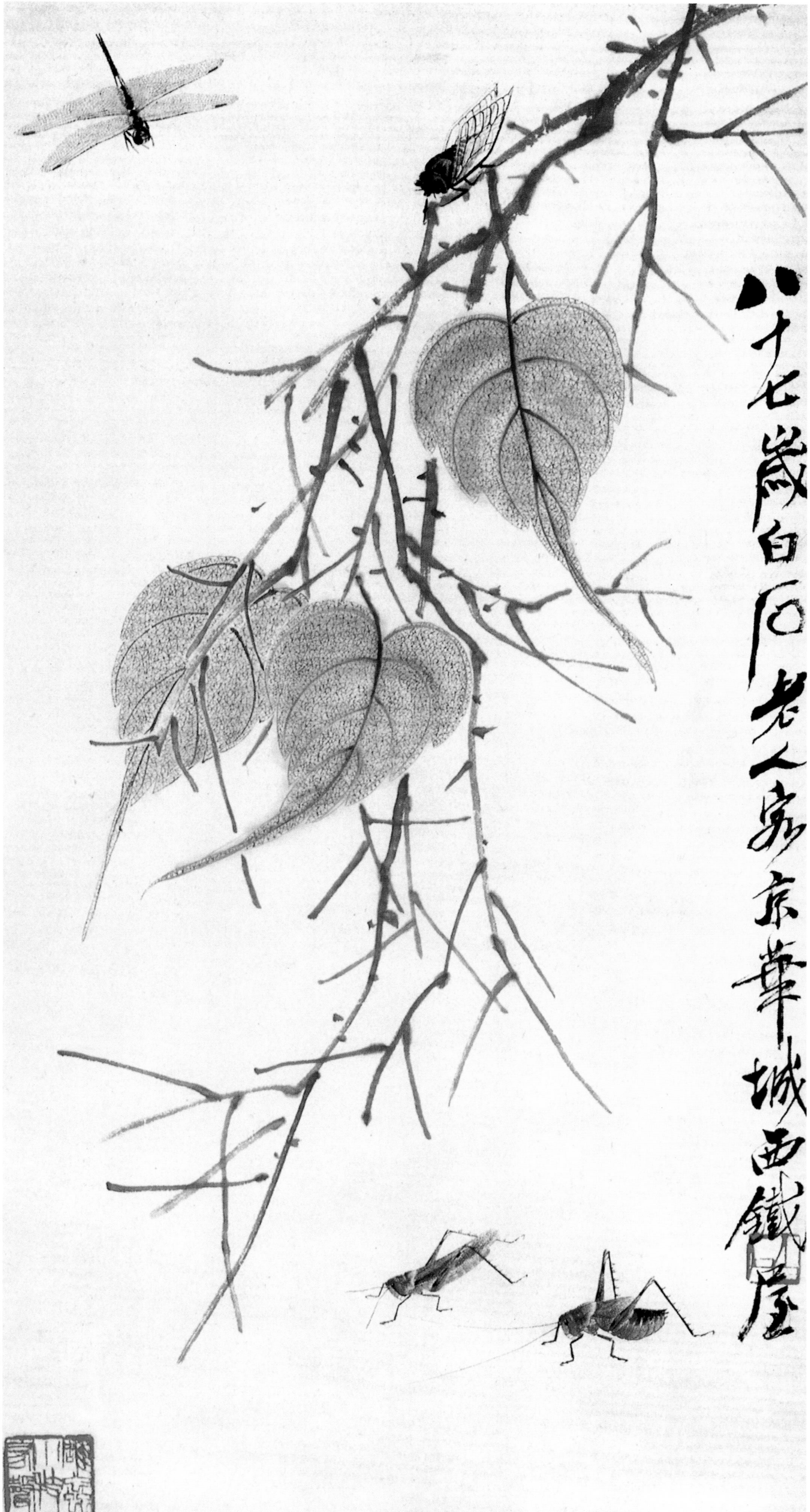

一六六　貝葉草蟲　一九四七年　縱一〇四厘米　橫五二厘米

一六七 螃蟹 一九四七年 縱一〇三厘米 橫三五厘米

一六八　竹雞·雞冠花　一九四七年　縱一一六厘米　橫四一厘米

一六九　紅蓼　一九四七年　縱一〇一厘米　橫三四厘米

一七〇　老鷹如鶴壽千年　一九四七年　縱一二二厘米　橫五二厘米

一七一 玉米牽牛草蟲 一九四七年 縱一三六厘米 橫六〇厘米

一七二　墨竹　一九四七年　縱一三三厘米　橫二九厘米

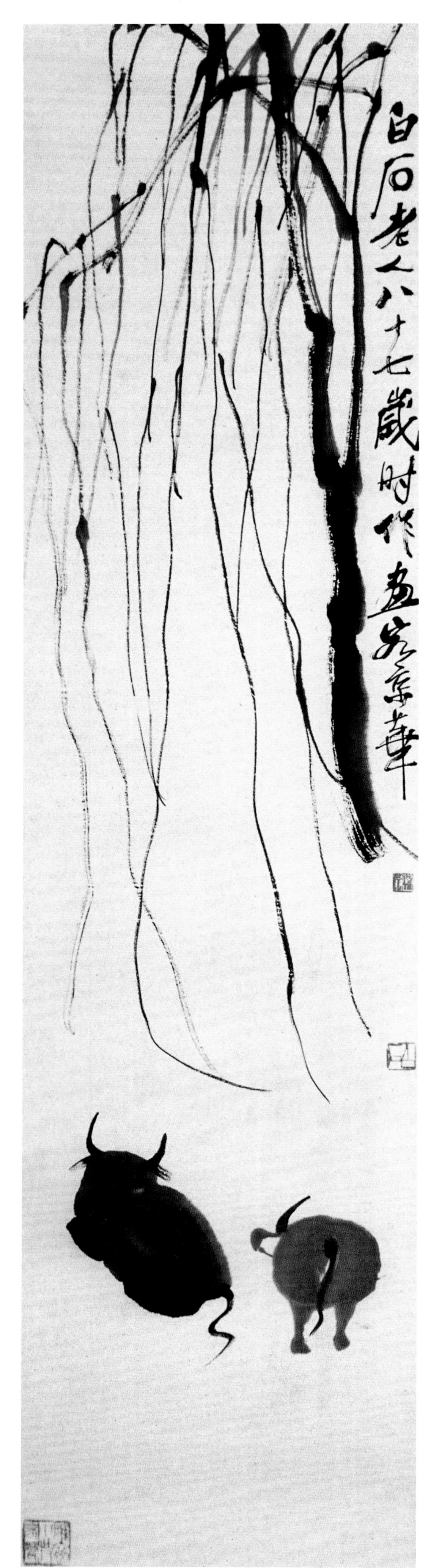

一七三　垂柳雙牛圖　一九四七年　縱一二七厘米　橫三三厘米

垂柳雙牛圖（局部）

一七四　蝦　一九四七年　縱三五厘米　橫三五厘米

一七五　螃蟹　一九四七年　縱三三厘米　橫三五厘米

一七六　老來與石同壽　一九四七年　縱一〇三·八厘米　橫三四·五厘米

一七七　富貴太平　一九四七年　縱一〇一厘米　橫三四厘米

一七八　喜上眉頭

一九四七年　縱一三二厘米　橫四八厘米

一七九　白菜蘿蔔　一九四七年　縱一二八厘米　橫四三厘米

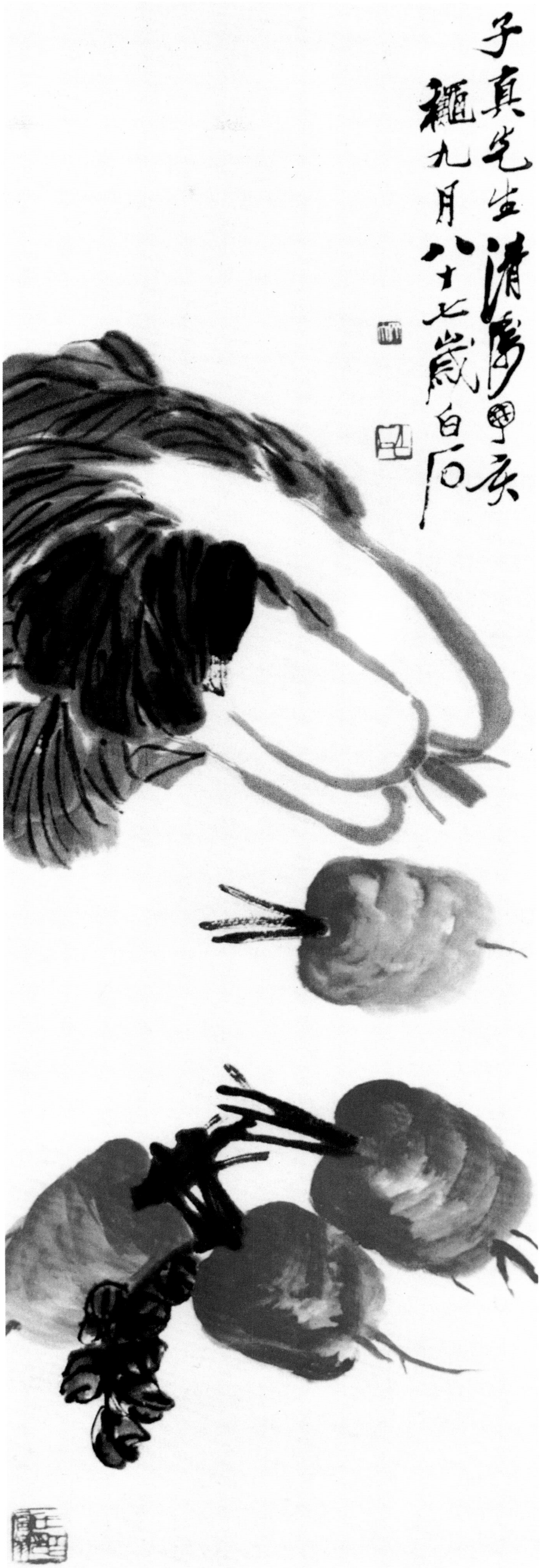

一八〇　荷花鴛鴦　一九四七年　縱一一二厘米　横三八厘米

一八一　籬菊　一九四七年　縱一三四厘米　橫三五厘米

一八二　菊花八哥　一九四七年　縱九七・五厘米　橫三三厘米

一八三　紅蓼蜻蜓　一九四七年　縱七〇厘米　橫三三厘米

白石八十七歲

一八四　殘荷　一九四七年　縱一〇四厘米　橫三五厘米

一八五　富貴白頭　一九四七年　縱一〇〇厘米　横三三厘米

一八六　蝦蟹　一九四七年　縱一〇五厘米　橫三四厘米

蝦蟹（局部）

白石老人畫

一八七　蝦　一九四七年　縱一〇二厘米　橫三三厘米

蝦（局部）

一八八　三千年之果　一九四七年　縱二四厘米　橫五〇厘米

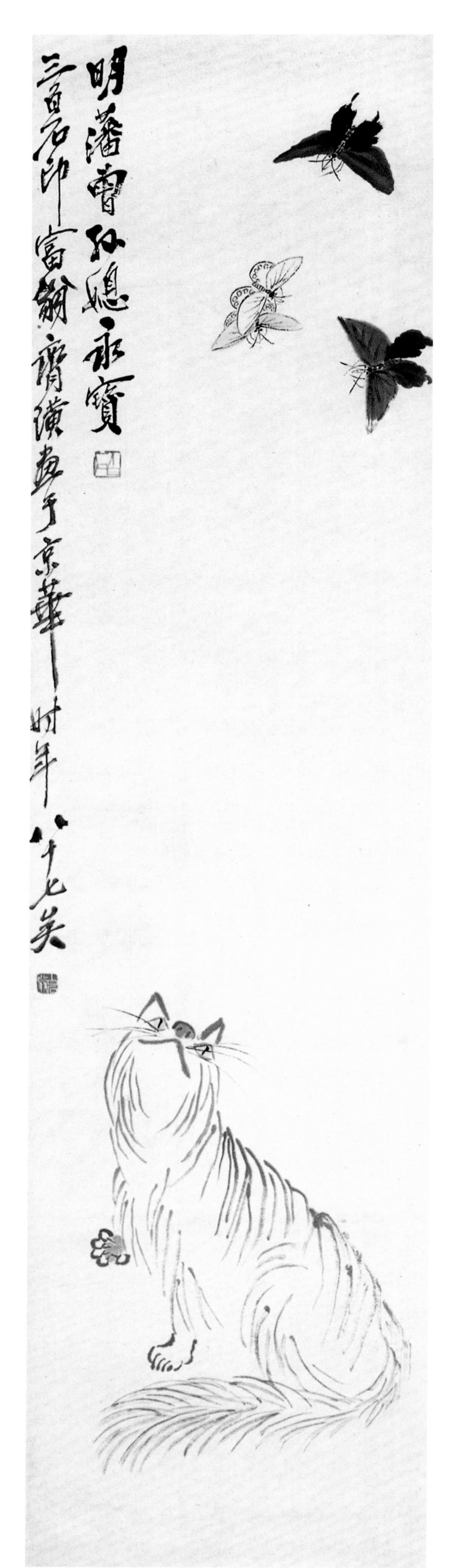

一八九　猫蝶圖　一九四七年　縱一三九厘米　橫三五厘米

一九〇　玉蘭　一九四七年　縱九六厘米　橫五〇厘米

一九一　芭蕉麻雀　一九四七年　縱九九·五厘米　横三二厘米

芭蕉麻雀（局部）

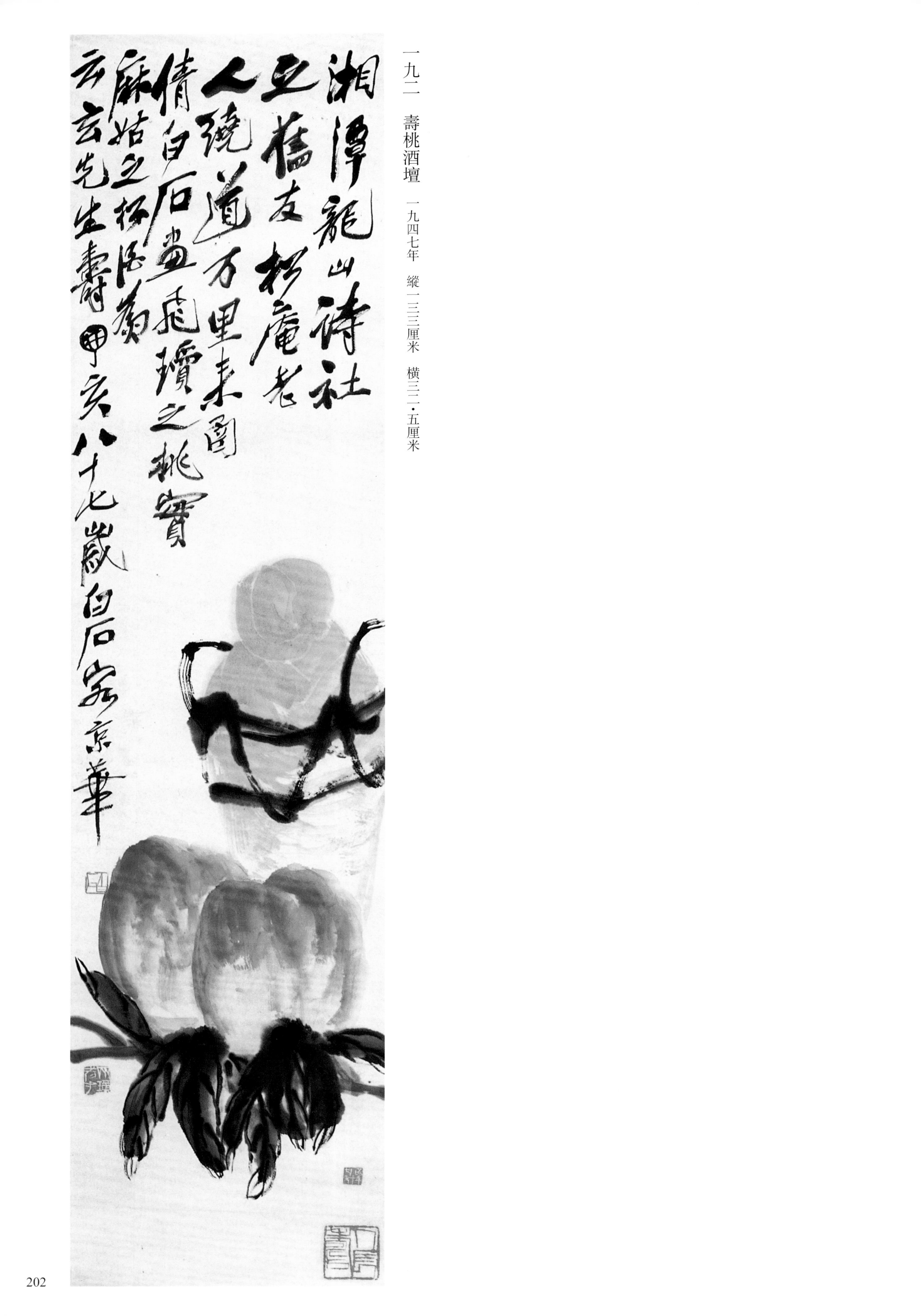

一九二　壽桃酒壇　一九四七年　縱一三三厘米　橫三二·五厘米

一九三　借山吟館圖　一九四七年　縱一〇二厘米　橫三三厘米

一九四 草蟲·游蝦

一九四七年 縱一〇一厘米 橫三四·二厘米

一九五　南瓜冬笋蘑菇　一九四七年　縱一〇二·五厘米　橫三三厘米

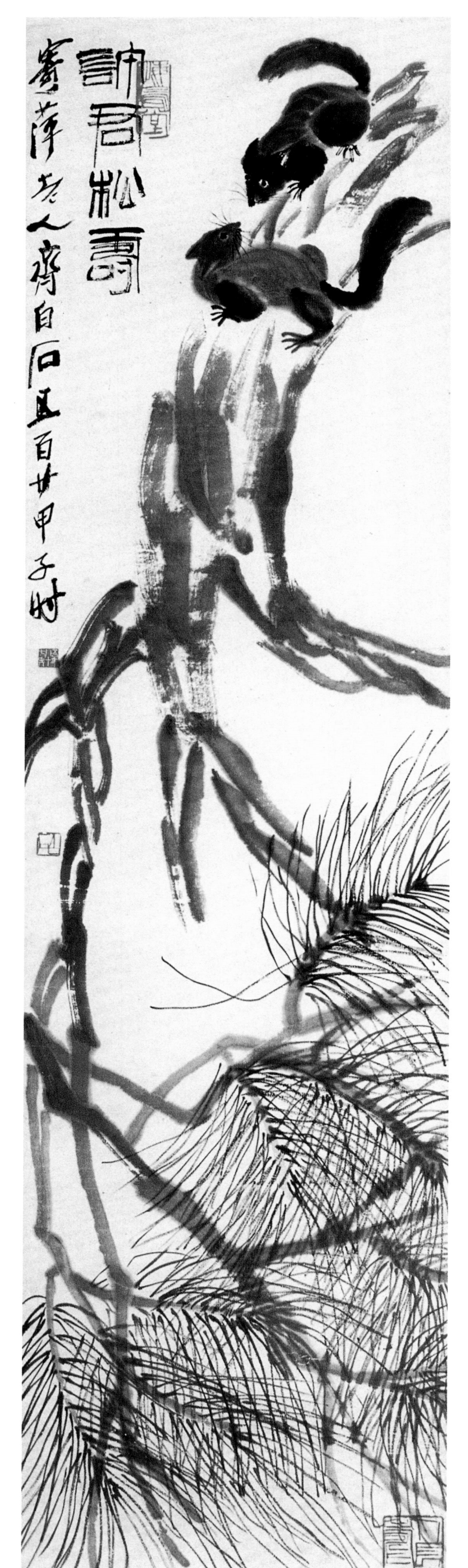

一九六　許君松壽　一九四七年　縱一五一厘米　橫四〇厘米

許君松壽（局部）

一九七　葫蘆何藥

一九四七年　縱八八厘米　橫三三厘米

一九八　鐵拐李　一九四七年　縱一〇一厘米　橫三三・五厘米

一九九　罵誰　一九四七年　縱六〇厘米　橫四八厘米

二〇〇　耳食　一九四七年　縱一〇二厘米　橫三四厘米

二〇一 畢卓盜酒 一九四七年 縱一〇一厘米 橫三四厘米

二〇二　得財圖　一九四七年　縱九二厘米　橫四三厘米

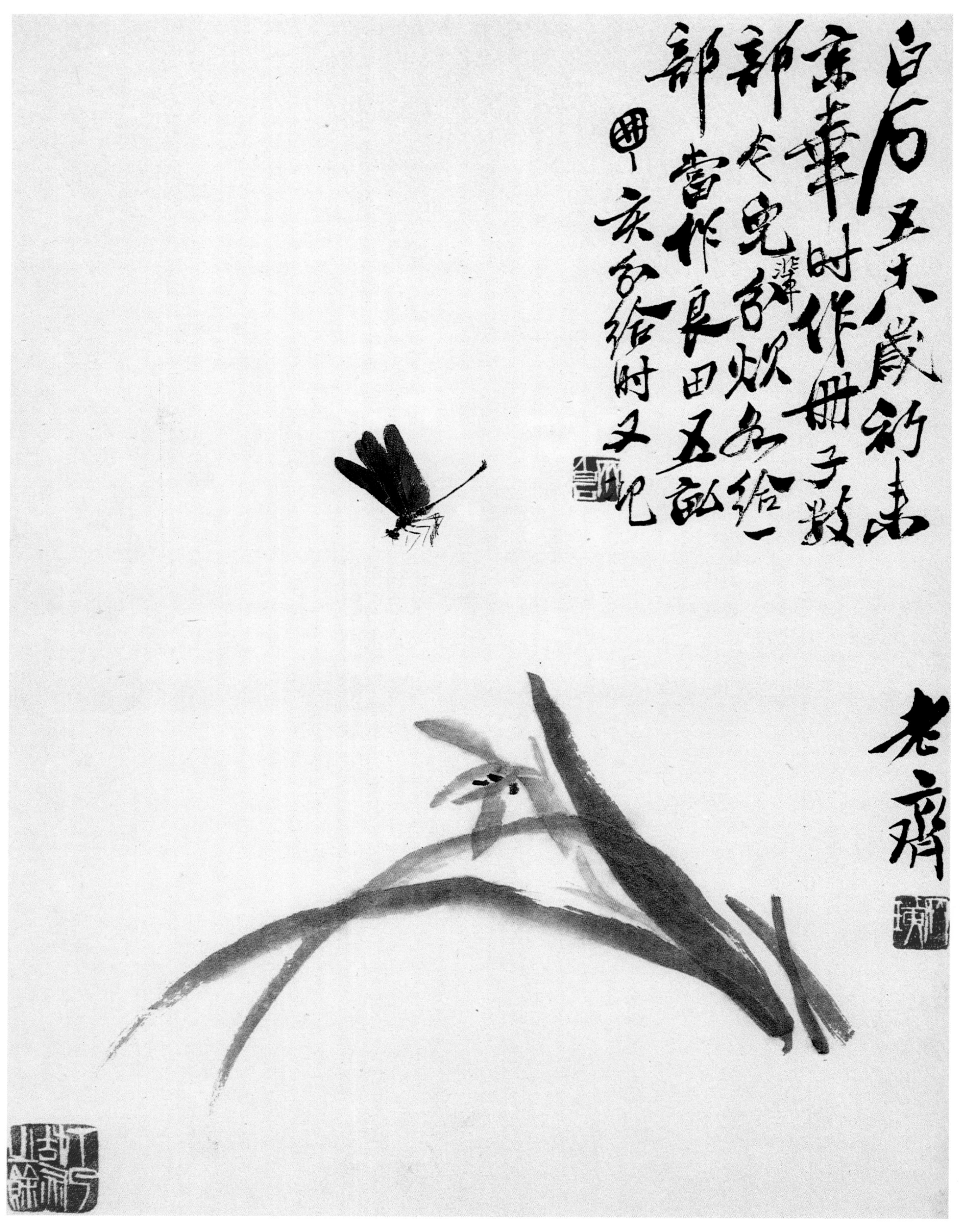

二〇三　**蘭花**（花卉草蟲册頁之一）　一九四七年　縱四五厘米　橫三四厘米

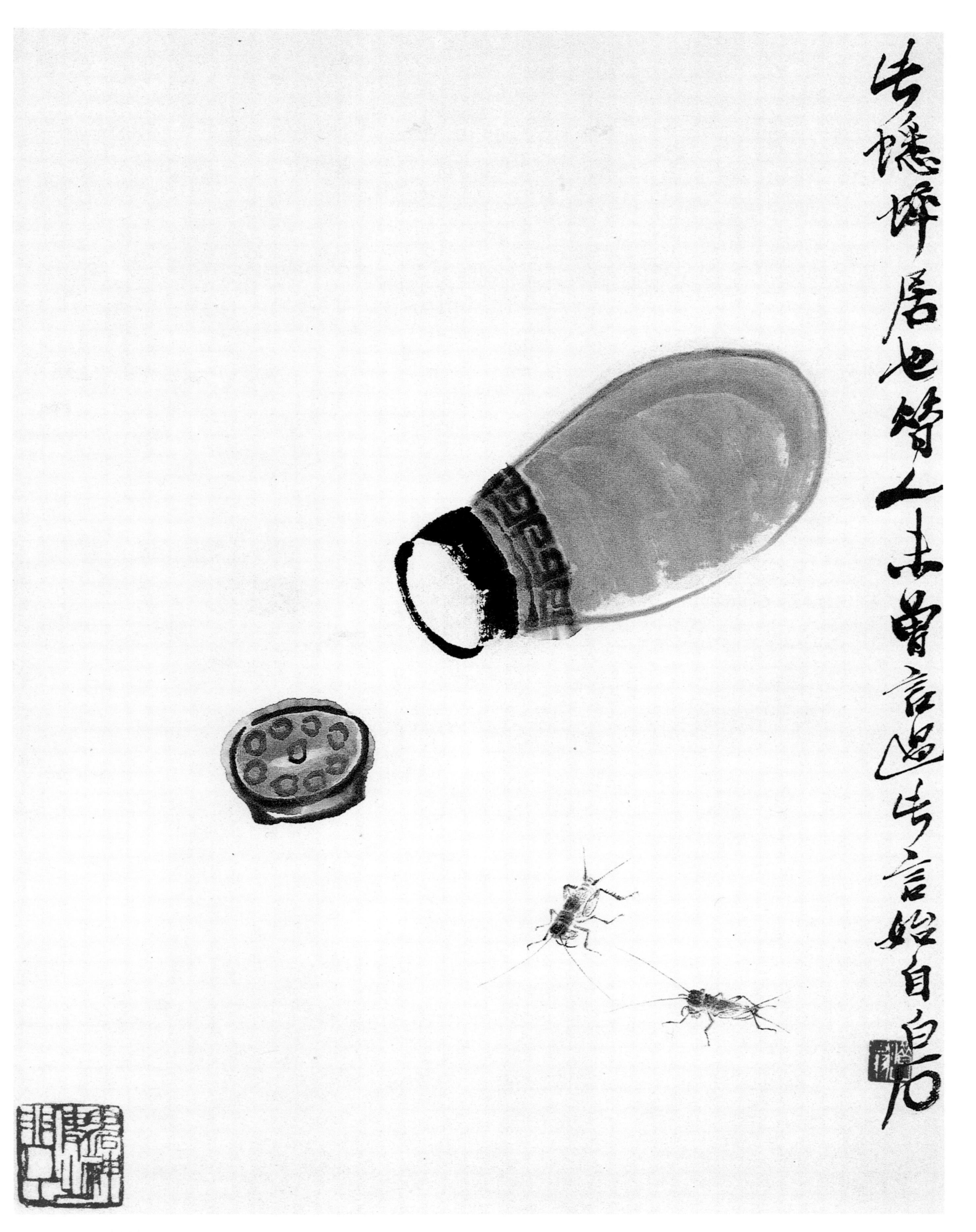

二〇四　蟋蟀　（花卉草蟲册頁之二）　一九四七年　縱四五厘米　横三四厘米

二〇五　慈姑·螻蛄　（花卉草蟲册頁之三）　一九四七年　縱四五厘米　横三四厘米

二〇六　稻穗·蝗蟲（花卉草蟲册頁之四）　一九四七年　縱四五厘米　橫三四厘米

二〇七　雁來紅　（花卉草蟲册頁之五）　一九四七年　縱四五厘米　橫三四厘米

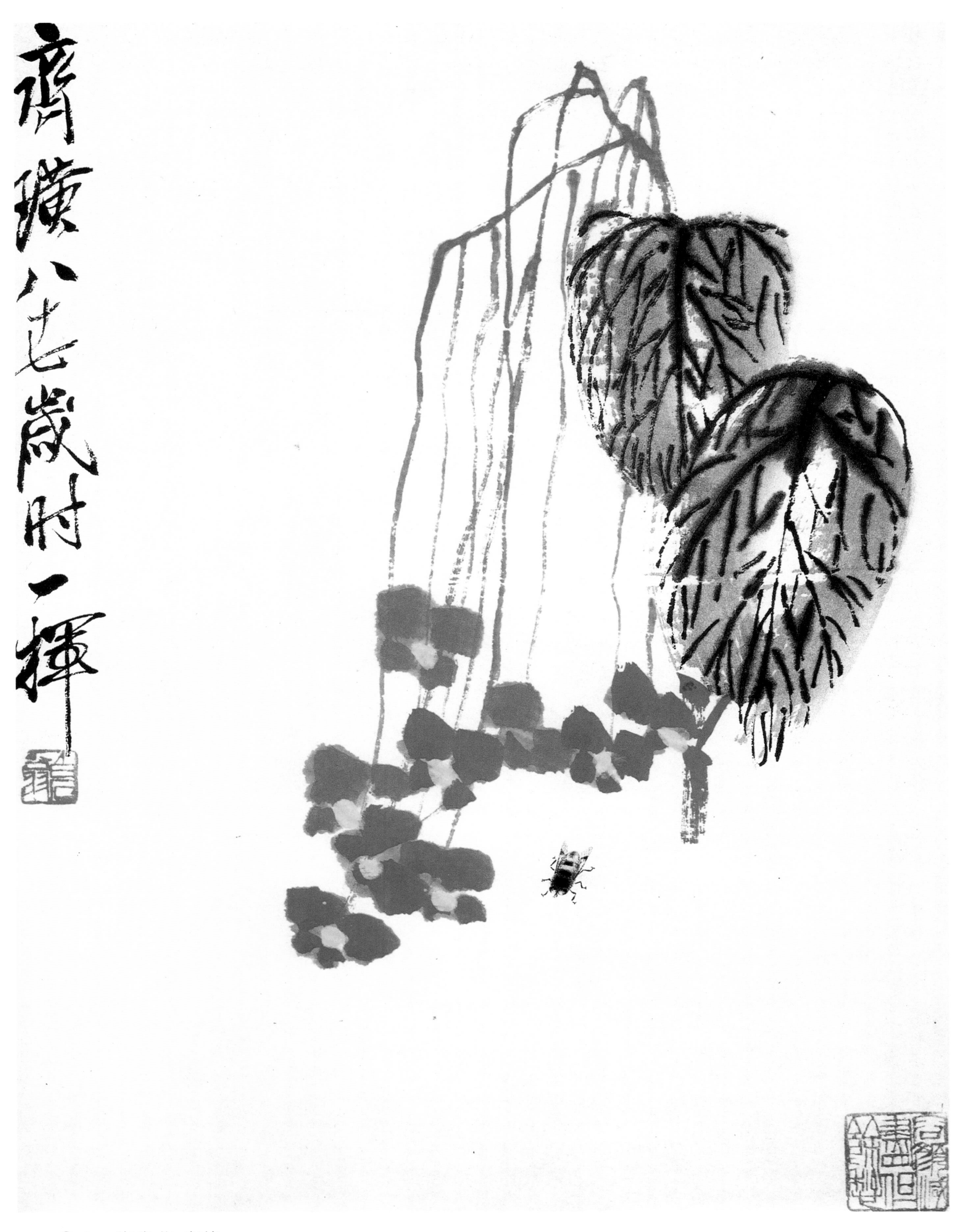

二〇八　海棠花·蜜蜂（花卉草蟲册頁之六）一九四七年　縱四五厘米　横三四厘米

二〇九　牽牛花

一九四八年　縱八五厘米　橫五〇·五厘米

二一〇　菊酒延年　一九四八年　縱一〇三厘米　橫六八厘米

二一一 多壽 一九四八年 縱一三九·九厘米 横六一·二厘米

二一二　菖蒲青蛙　一九四八年　縱一〇四・四厘米　橫三四・四厘米

二一三　蛙戲圖　一九四八年　縱六七厘米　橫三四·三厘米

蛙戲圖　（局部）

二一四　荔枝樹　一九四八年　縱一七二厘米　橫六八·五厘米

二一五 紫藤蜜蜂

一九四八年 縱一八五·七厘米 橫三三·六厘米

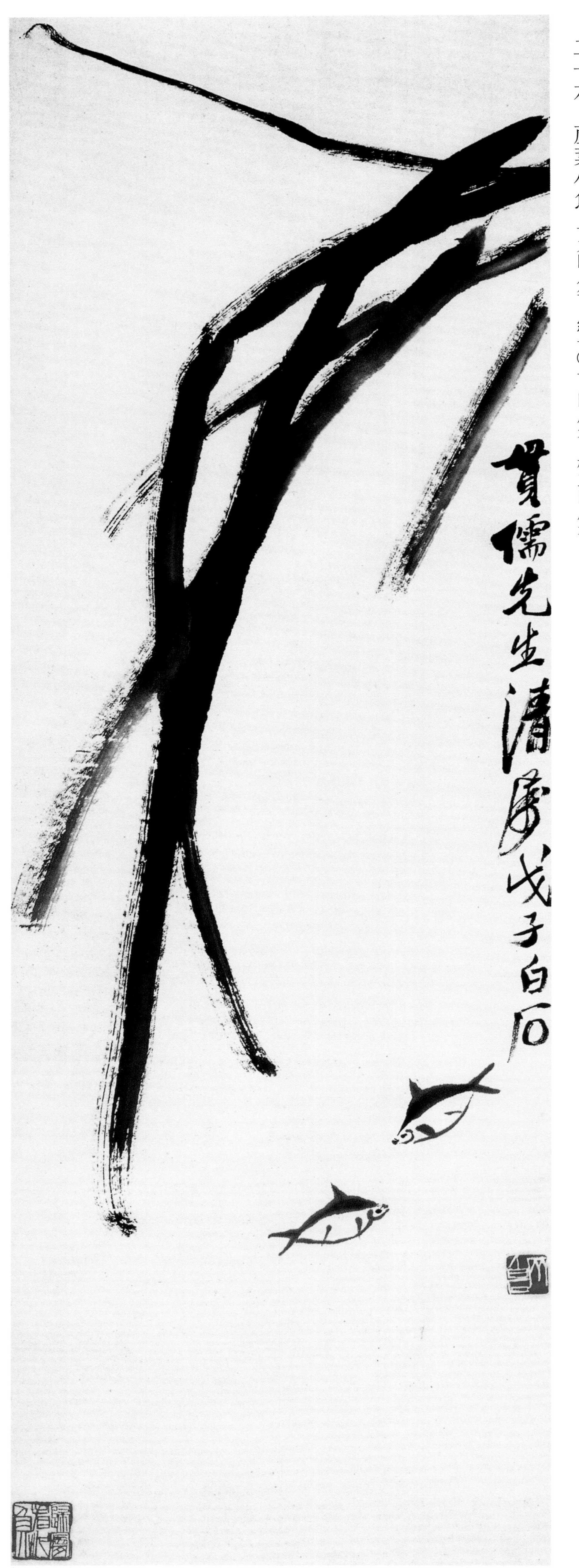

二一六 蘆葉小魚 一九四八年 縱一〇一·四厘米 橫三四厘米

二一七 蝦·蟹 一九四八年 縱一〇三厘米 橫三四厘米

二一八 豐年

一九四八年 縱一〇一·八厘米 橫三三·八厘米

豐年 （局部）

豐年
戊子

二一九　桃花八哥　一九四八年　縱一〇二厘米　橫三四厘米

桃花八哥（局部）

白石老人

二二〇　自稱（鼠子册頁之一）　一九四八年　縱二七厘米　横三六厘米

自稱（局部）

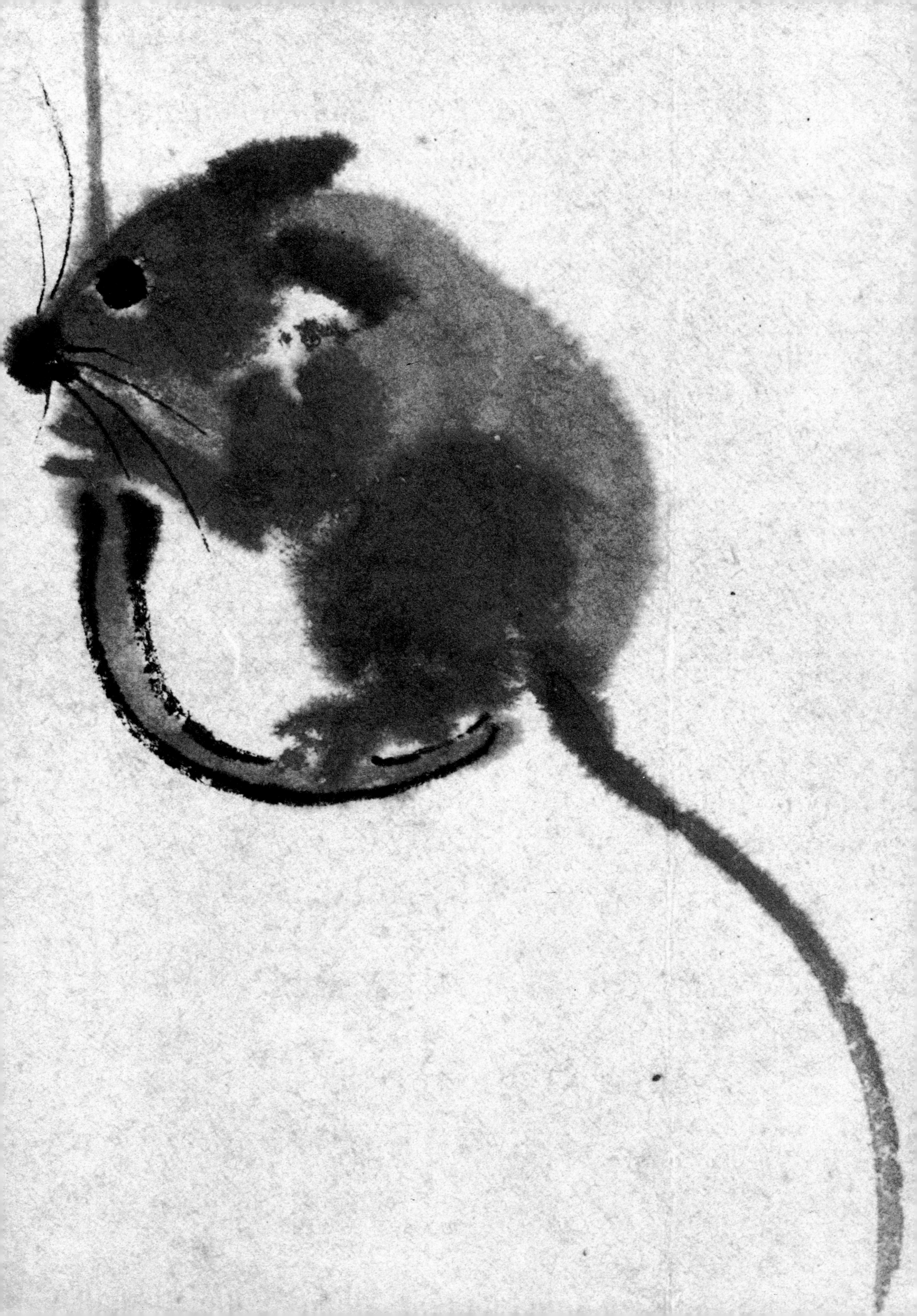

二二一　鼠·柿子花生（鼠子册頁之二）　一九四八年　縱二七厘米　横三六厘米

二二二　鼠·南瓜（鼠子册頁之三）一九四八年　縱二七厘米　横三六厘米

二二三　鼠·蘿蔔（鼠子册頁之四）一九四八年　縱二七厘米　橫三六厘米

二二四　鼠·笋（鼠子册頁之五）　一九四八年　縱二七厘米　横三六厘米

二三五　松樹八哥　一九四八年　縱一〇二厘米　橫三四厘米

二二六　牵牛花（扇面）一九四八年　縱二七厘米　横五九厘米

二二七　願人長壽

一九四八年　縱一〇三厘米　橫三四厘米

二三一八　紅梅　一九四八年　縱一〇六厘米　橫三四厘米

二三九　鳳仙花

一九四八年　縱一〇五厘米　橫三五厘米

二三〇　多壽圖　一九四八年　縱一一七厘米　橫四九厘米

二三一　茨菇青蛙　一九四八年　縱一〇三・五厘米　横三四・三厘米

二三二　公鷄小鷄　一九四八年　縱一〇四厘米　橫三五厘米

二三三 青蛙蝌蚪 一九四八年 縱一〇一厘米 横三四厘米

二三四　三魚圖　一九四八年　縱一〇〇厘米　橫三三厘米

二三五　松鼠圖　一九四八年　縱一〇六厘米　横三三厘米

二三六　枇杷螞蚱　一九四八年　縱三二·八厘米　横三二·五厘米

二三七　葡萄蜜蜂　一九四八年　縱三二·八厘米　横三二·五厘米

葡萄蜜蜂（局部）

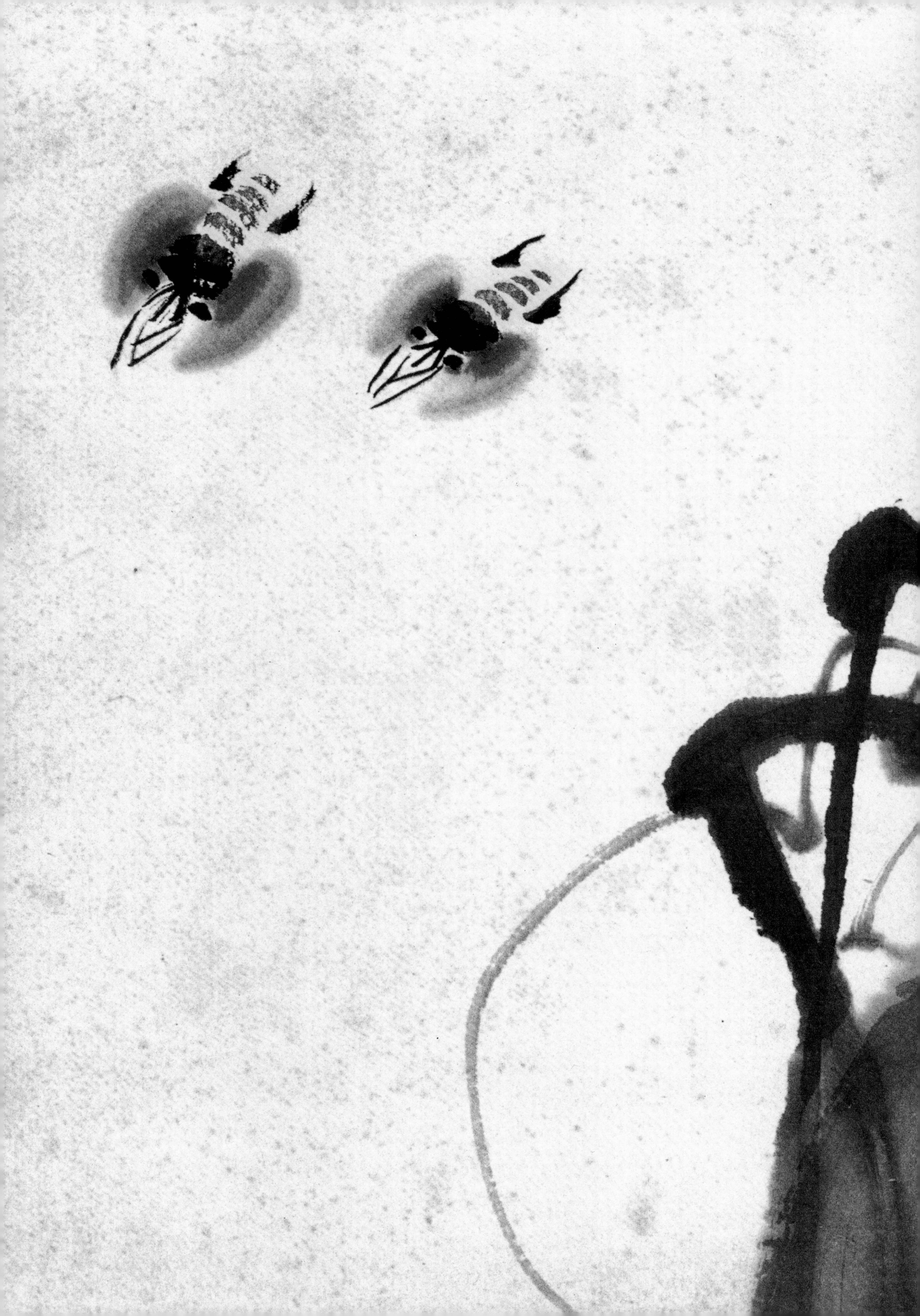

二三八　柿子蜻蜓　一九四八年　縱三二·八厘米　橫三二·五厘米

二三九　牽牛花

一九四八年　縱一〇一厘米　橫三三厘米

二四〇　游蝦剪刀草　一九四八年　縱一〇三·五厘米　橫四三·五厘米

二四一 秋荷 一九四八年 縱一三四厘米 橫三二・五厘米

二四二　菊花綬帶　一九四八年　縱一〇三厘米　橫三四厘米

二四三 牽牛花

一九四八年 縱一一五厘米 横四〇厘米

二四四　蝦　一九四八年　縱八一·五厘米　橫三三·五厘米

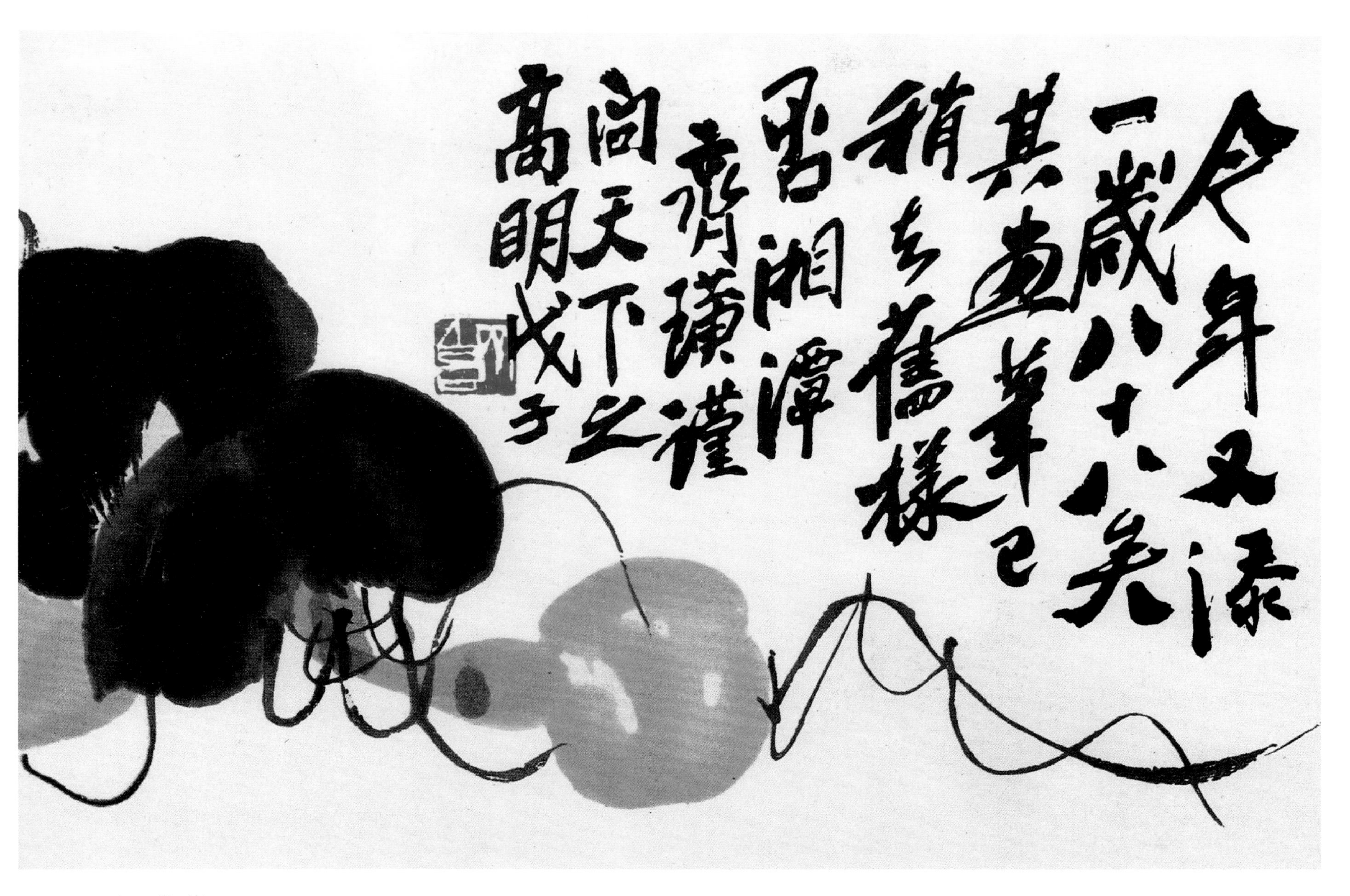

二四五　葫蘆　一九四八年　縱三二·五厘米　橫四八厘米

二四六 螃蟹 一九四八年 縱一〇〇厘米 橫三三厘米

二四七　太平吉利　一九四八年　縱一〇一・六厘米　橫三五厘米

二四八　荷花雙蝦圖　一九四八年　縱八六厘米　橫三六厘米

二四九　墨蟹　一九四八年　縱一〇五厘米　横三五厘米

二五〇 墨蝦

約四十年代晚期 縱六七厘米 橫三六厘米

二五一 荔枝 一九四八年 縱九七厘米 橫三六厘米

二五二 雄鷄 一九四八年 縱一〇〇厘米 橫三三厘米

二五三　桃　一九四八年　縱一〇五厘米　橫三四·五厘米

二五四　芙蓉雙鴨

一九四八年　縱一〇〇厘米　橫三三·五厘米

二五五　長壽延年　一九四八年　縱一八七厘米　横四七・五厘米

二五六　鷹　一九四八年　縱一八〇厘米　橫四七厘米

二五七　壽酒　一九四八年　縱一〇二厘米　橫三四厘米

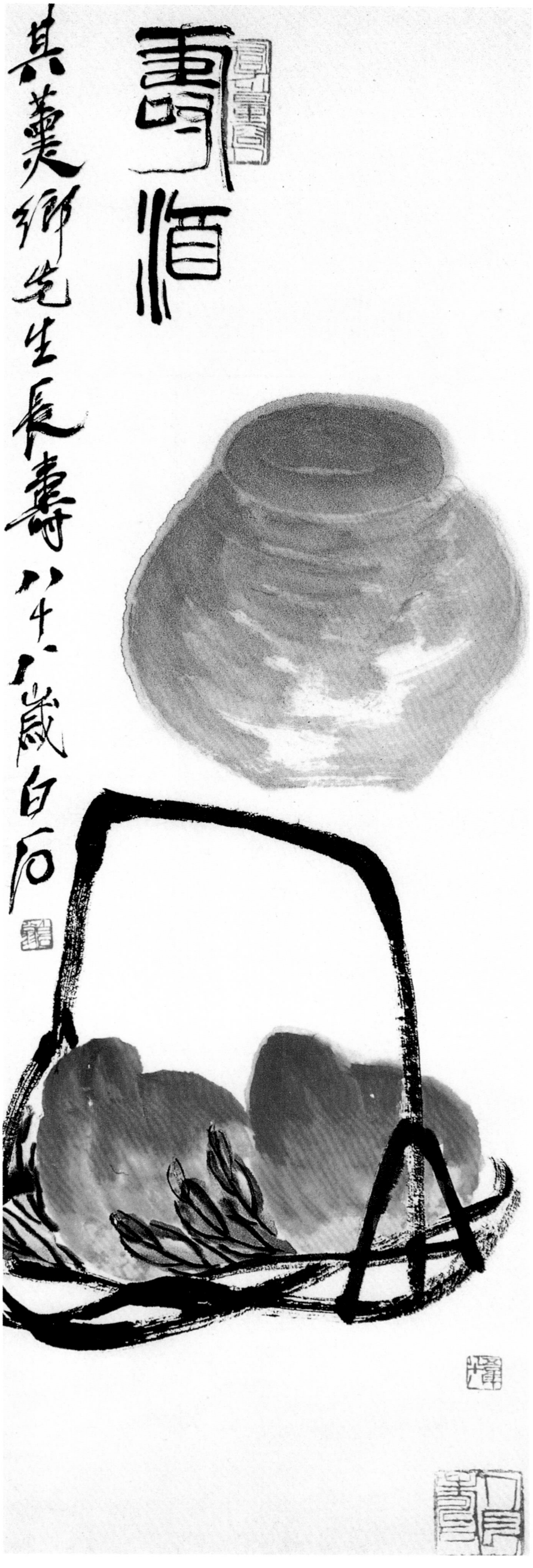

二五八　延年益壽　一九四八年　縱八〇厘米　橫四三·五厘米

二五九　荷花鴛鴦　一九四八年　縱九六厘米　橫五〇・五厘米

二六〇 荷花 一九四八年 縱一〇三厘米 橫三四厘米

二六一 燈鼠圖 一九四八年 縱一〇三厘米 橫三三・五厘米

二六二　清平有期　一九四八年　縱一一〇厘米　横三五厘米

二六三　牽牛花·蜻蜓　一九四八年　縱四五厘米　橫三四厘米

二六四　蝴蝶蘭·螳螂（花卉草蟲册頁之一）　一九四八年　縱四五厘米　横三四厘米

二六五　墨竹·蝗蟲（花卉草蟲册頁之二）　一九四八年　縱四五厘米　橫三四厘米

二六六　紅葉·雙蝶（花卉草蟲册頁之三）一九四八年　縱四五厘米　橫三四厘米

二六七　水草·游蟲（花卉草蟲册頁之四）一九四八年　縱四五厘米　橫三四厘米

二六八　蓮蓬·蜻蜓（花卉草蟲册頁之五）一九四八年　縱四五厘米　橫三四厘米

二六九　紅葉鳴蟬　一九四八年　縱八四厘米　橫三五厘米

祝孫先生清正　戊子秋八十八白石

二七〇　老者多壽　少者多子

一九四八年　縱一〇四厘米　橫三四・五厘米

二七一　荷花　一九四八年　縱六七・八厘米　橫三三・五厘米

二七二　延年益壽　一九四八年　縱一〇三厘米　橫三四厘米

二七三　無量壽佛　一九四八年　縱一一五厘米　橫三九·五厘米

無量壽佛

祥能先生供奉
八十八歲齊璜

二七四 紫藤

一九四八年 縱一〇〇厘米 橫三四厘米

二七五　竹鷄　約一九四八年　縱二八・五厘米　横一七厘米

二七六　八哥　約一九四八年　縱二八・五厘米　橫一七厘米

二七七　鴉　約一九四八年　縱二八·五厘米　橫一七厘米

二七八　梨花　約一九四八年　縱二八厘米　横一七·五厘米

二七九 笋 約一九四八年 縱二八厘米 橫一七·五厘米

二八〇　牽牛　約四十年代晚期　縱三二·五厘米　橫四八厘米

二八一　群蝦戲菊圖　約四十年代晚期　縱一〇四厘米　橫三九厘米

二八二　花卉　約四十年代晚期　縱三二厘米　橫三二·五厘米

二八三　楓葉寒蟬　約四十年代晚期　縱二七厘米　橫三五厘米

二八四　多子　約四十年代晚期　縱一〇一·一厘米　橫三三·四厘米

多子（局部）

二八五 菜根有真味 約四十年代晚期 縱一〇二厘米 横三四厘米

二八六　竹鷄　約一九四八年　縱三四·四厘米　橫三三·四厘米

二八七 荷花

約四十年代晚期 縱五一厘米 橫二三·五厘米

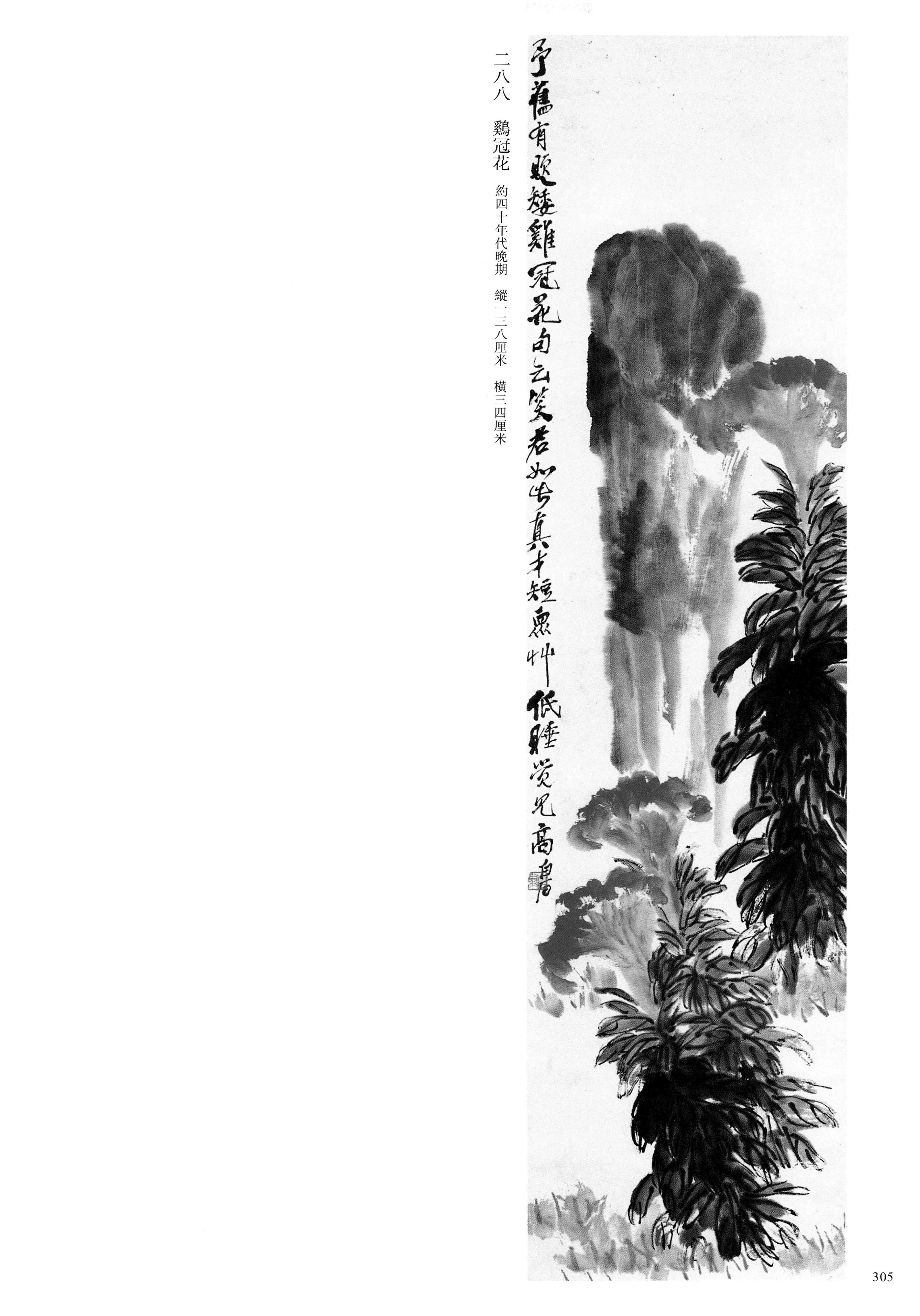

二八八　鷄冠花

約四十年代晚期　縱一三八厘米　橫三四厘米

二八九　棕樹鷄雛

約四十年代晚期　縱九三厘米　橫三四・三厘米

二九〇 蘭花 四十年代晚期 縱一三五·四厘米 橫三三·六厘米

二九一　葫蘆螳螂　四十年代晚期　縱六八厘米　橫三三厘米

白石

二九二 荔枝

約四十年代晚期 縱一二二厘米 橫三三厘米

二九三　醉秋圖　約四十年代晚期　縱一〇〇·六厘米　橫三四厘米

二九四　蛙　四十年代晚期　縱三四·五厘米　横三九·五厘米

二九五　牽牛花　四十年代晚期　縱一〇三厘米　横三四·五厘米

二九六　牽牛鷄雛　一九四八年　縱一〇七厘米　橫四〇厘米

二九七　葡萄松鼠

一九四八年　縱一〇二厘米　橫三三厘米

二九八　魚·蟹·蝦

一九四八年　縱一〇〇厘米　橫三四厘米

二九九　歡天喜地

一九四八年　縱一〇二厘米　橫三三厘米

三〇〇　白菜　一九四八年　縱一一八厘米　橫四〇厘米

三〇一　延年　一九四八年　縱一一八·五厘米　横四〇厘米

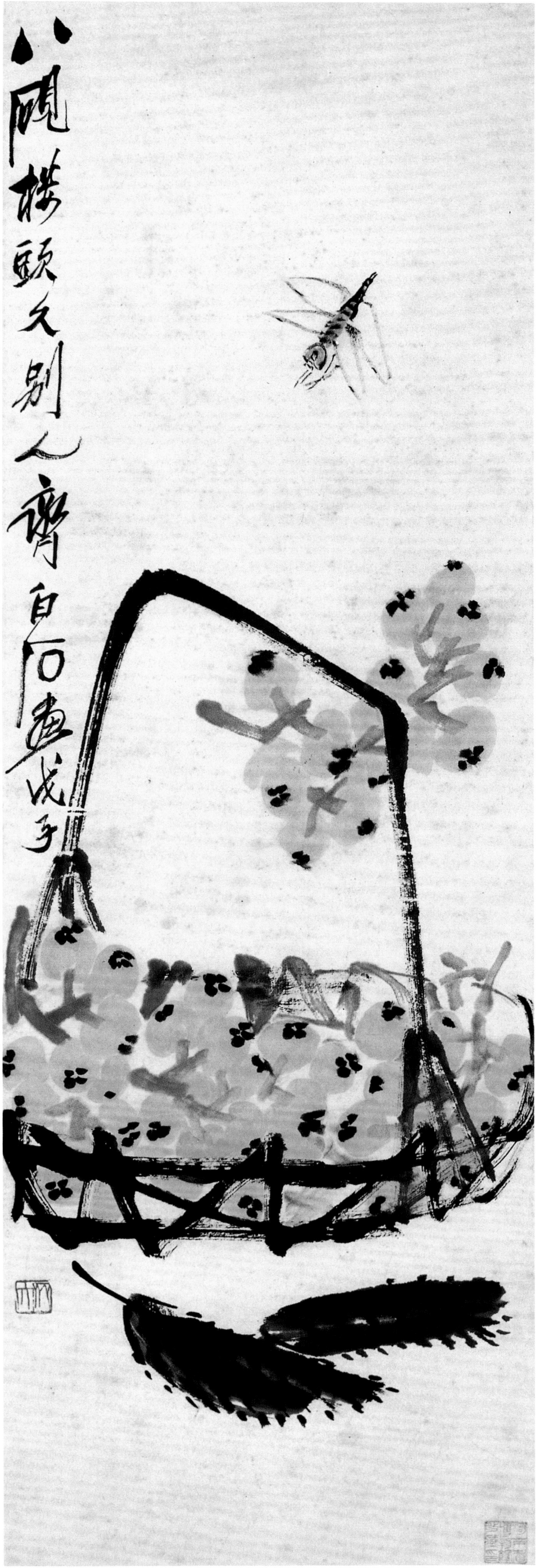

三〇二　枇杷　一九四八年　縱一〇三厘米　横三四厘米

三〇三　福禄鴛鴦　一九四八年　縱一二五厘米　橫四二厘米

著録·注釋

繪畫

1945—1948

1. 富貴太平圖
立軸
紙本水墨設色
117.8×50.3cm
1945年
款題：
報道富貴太平(篆)。
白石老人又篆。三百石印富翁齊白石八十五歲。
印章：
白石翁(朱文)　木人(朱文)
年八十五矣(白文)
人長壽(朱文)
收藏：
北京故宮博物院

2. 牡丹
立軸
紙本水墨設色
103×35cm
1945年
款題：
寄萍老人齊白石作雙富貴。時年八十有五。
印章：
白石翁(朱文)
八十歲應門者(朱文)
收藏：
遼寧省博物館
著録：
《齊白石畫集》第43圖，遼寧省博物館編，遼寧美術出版社，1961年，瀋陽。

3. 雁來紅蝴蝶(花果草蟲册頁之一)
册頁
紙本水墨設色
23×30cm

1945年
款題：
瀕生
印章：
齊大(朱文)
收藏：
中國美術館
著録：
《齊白石作品集》第83圖，董玉龍主編，天津人民美術出版社，1990年，天津。

4. 鳳仙花螞蚱(花果草蟲册頁之二)
册頁
紙本水墨設色
23×30cm
1945年
款題：
白石
印章：
齊大(白文)
收藏：
中國美術館
著録：
《齊白石作品集》第84圖，董玉龍主編，天津人民美術出版社，1990年，天津。

5. 絲瓜蟈蟈(花果草蟲册頁之三)
册頁
紙本水墨設色
23×30cm
1945年
款題：
借山翁

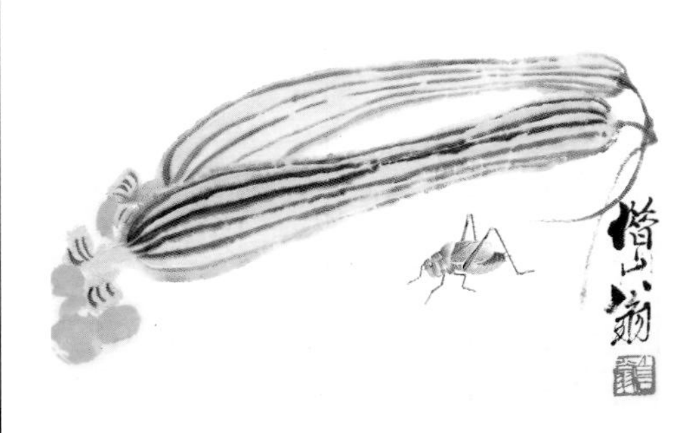

印章：
白石翁(朱文)
收藏：
中國美術館
著録：
《齊白石作品集》第85圖，董玉龍主編，天津人民美術出版社，1990年，天津。

6. 稻穗螳螂(花果草蟲册頁之四)
册頁
紙本水墨設色
23×30cm
1945年
款題：
杏子隖老農
印章：
齊大(朱文)
收藏：
中國美術館
著録：
《齊白石作品集》第86圖，董玉龍主編，天津人民美術出版社，1990年，天津。

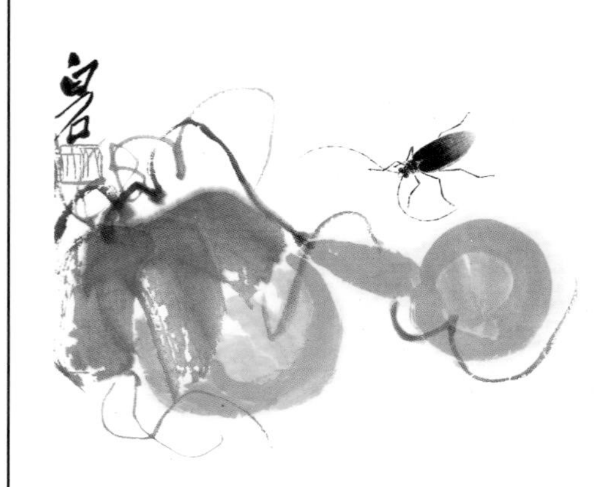

7. 葫蘆天牛(花果草蟲册頁之五)
册頁
紙本水墨設色
23×30cm
1945 年

款題:
白石

印章:
齊大(朱文)

收藏:
中國美術館

著録:
《齊白石作品集》第 87 圖, 董玉龍主編, 天津人民美術出版社, 1990 年, 天津。

8. 楓葉秋蟬(花果草蟲册頁之六)
册頁
紙本水墨設色
23×30cm
1945 年

款題:
白石

印章:
木人(朱文)

收藏:
中國美術館

著録:
《齊白石作品集》第 88 圖, 董玉龍主編, 天津人民美術出版社, 1990 年, 天津。

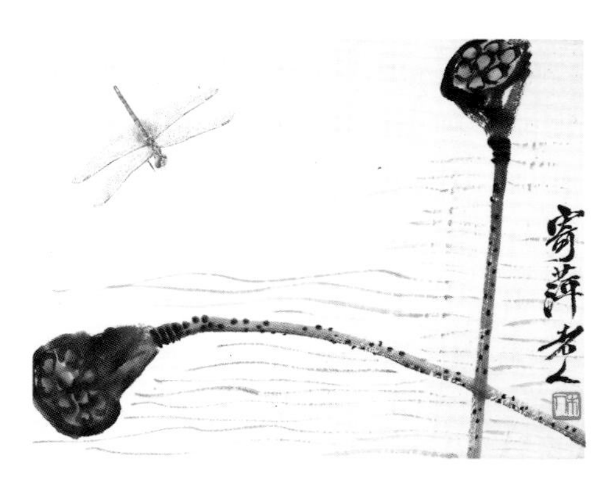

9. 蓮蓬蜻蜓(花果草蟲册頁之七)
册頁
紙本水墨設色
23×30cm
1945 年

款題:
寄萍老人

印章:
木人(朱文)

收藏:
中國美術館

著録:
《齊白石作品集》第 89 圖, 董玉龍主編, 天津人民美術出版社, 1990 年, 天津。

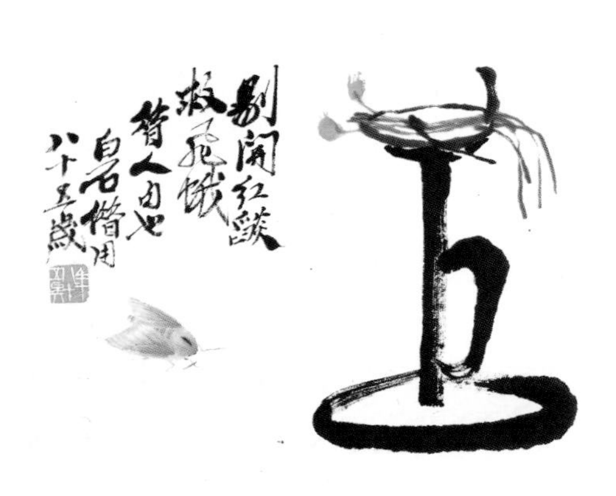

10. 油燈飛蛾(花果草蟲册頁之八)
册頁
紙本水墨設色
23×30cm
1945 年

款題:
剔開紅焰救飛蛾。昔人句也。白石借用。八十五歲。

印章:
年八十五矣

收藏:
中國美術館

著録:
《齊白石作品集》第 90 圖, 董玉龍主編, 天津人民美術出版社, 1990 年, 天津。

11. 筠籃新笋
立軸
紙本水墨設色
136.1×33.5cm
1945 年

款題:
筠籃沾露挑新笋。爐火和烟煮苦茶。肯共主人風味薄。諸君小住看黎(梨)花。此予小園客至詩七言律後四句。書以題此畫。白石老人八十五歲。

印章:
白石翁(朱文)
齊璜老手(白文)
浮名過實(朱文)

收藏:
中國美術館

著録:
《齊白石作品集》第 81 圖, 董玉龍主編, 天津人民美術出版社, 1990 年, 天津。
《齊白石繪畫精品選》第 60 頁, 董玉龍主編, 人民美術出版社, 1991 年, 北京。

12. 玉簪蜻蜓
立軸
紙本水墨設色
103×34cm
1945 年

款題:
八硯樓頭遠别人齊白石客京華廿又九年矣。

印章:
借山翁(朱文)
尋常百姓人家(朱文)

收藏:
中國美術館

著録:
《齊白石畫集》第 103 圖, 嚴欣强、金岩編, 外文出版社, 1991 年, 北京。
《齊白石繪畫精品選》第 88 頁, 董玉龍主編, 人民美術出版社, 1991 年, 北京。

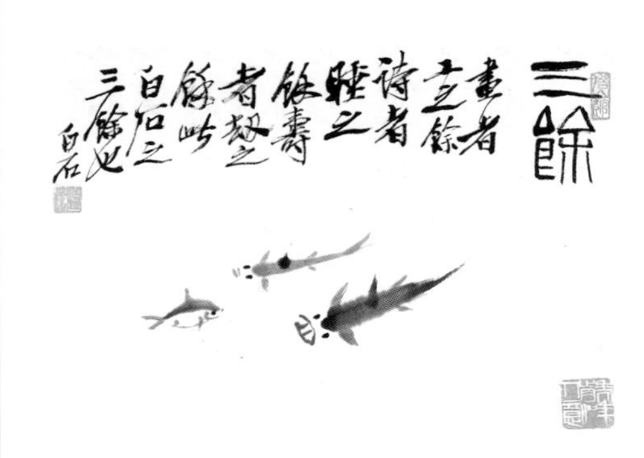

13. 三魚(花卉魚鳥册頁之一)
册頁
紙本水墨
25×33cm
1945 年

款題:
三餘。畫者工之餘。詩者睡之餘。壽者劫之餘。此白石之三餘也。白石。

印章:
借山翁(白文) 借山館(朱文)
老年肯如人意(白文)

收藏：

中國美術館

著録：

《齊白石繪畫精品選》第 149 頁，董玉龍主編，人民美術出版社，1991 年，北京。

14. 藤花（花卉魚鳥册頁之二）

册頁

紙本水墨

25×33cm

1945 年

款題：

萍翁

印章：

齊白石（白文）　望風懷想（朱文）

流俗之所輕也（白文）

收藏：

中國美術館

著録：

《齊白石繪畫精品選》第 146 頁，董玉龍主編，人民美術出版社，1991 年，北京。

15. 蓮蓬翠鳥（花卉魚鳥册頁之三）

册頁

紙本水墨

25×33cm

1945 年

款題：

借山老人

印章：

木人（朱文）　甑屋（朱文）

老夫也在皮毛類（白文）

收藏：

中國美術館

著録：

《齊白石繪畫精品選》第 147 頁，董玉龍主編，人民美術出版社，1991 年，北京。

16. 瓶花（花卉魚鳥册頁之四）

册頁

紙本水墨

25×33cm

1945 年

款題：

八大有此畫法。白石。

印章：

老齊（朱文）　何要浮名（朱文）

麓山紅葉相思（白文）

收藏：

中國美術館

著録：

《齊白石繪畫精品選》第 148 頁，董玉龍主編，人民美術出版社，1991 年，北京。

17. 蘭花（花卉魚鳥册頁之五）

册頁

紙本水墨

25×33cm

1945 年

款題：

凡作畫須脱畫家習氣。自有獨到處。白石自臨自家本。覺不如從前。八十五歲。

印章：

白石老人（白文）

吾草木衆人也（朱文）

老為兒曹作馬牛（白文）

收藏：

中國美術館

著録：

《齊白石繪畫精品選》第 150 頁，董玉龍主編，人民美術出版社，1991 年，北京。

18. 貝葉草蟲

立軸

紙本水墨設色

90.3×41.4cm

約 1945 年

款題：

三百石印富翁齊白石老年所作。

印章：

阿芝（朱文）

齊大（白文）

馬上斜陽城下花（白文）

無君子不養小人（白文）

收藏：

中國美術館

著録：

《齊白石作品集》第 69 圖，董玉龍主編，天津人民美術出版社，1990 年，天津。

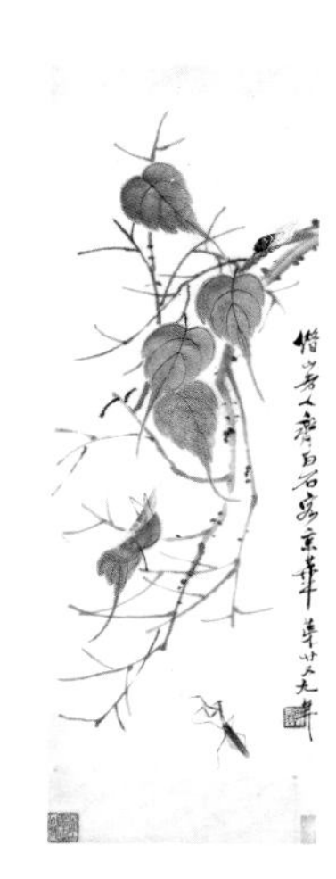

19. 貝葉草蟲

立軸

紙本水墨設色

101×34cm

1945 年

款題：

借山老人齊白石客京華第廿又九年。

印章：

借山翁（朱文）

星塘白屋不出公卿（朱文）

收藏印：西安美術學院藏（朱文）

收藏：

西安美術學院

20. 貝葉草蟲

立軸

紙本水墨設色

103.5×34cm

1945 年

款題：

峰南仁弟清正。乙酉。八十五歲白石。

印章：

木人（朱文）　年八十五矣（白文）

故鄉無此好天恩(朱文)
收藏：
北京市文物公司
著録：
《北京翰海藝術品拍賣公司首屆拍賣會》第 99 號，1994 年，北京。

21. 秋趣圖

立軸
紙本水墨設色
103×32cm
1945 年
款題：
白石老人八十五歲。
印章：
白石翁(朱文)
痴思長繩繫日(白文)
收藏：
北京市文物公司
著録：
《翰海'95 春季拍賣會・中國繪畫》第 44 號，1995 年，北京。

22. 百歲壽酒

立軸
紙本水墨設色
67×32.5cm
1945 年
款題：
百歲壽酒(篆)。
木齋仁兄大人今年九秩大慶。畫此豫(預)祝百壽。八十五歲小弟白石。
印章：
白石老人(白文)　木人(朱文)
年八十五矣(白文)
收藏：
北京市文物公司
著録：
《北京翰海藝術品拍賣公司首屆拍賣會》第 2 號，1994 年，北京。

23. 有色香味

立軸
紙本水墨設色
85×31.5cm
1945 年

款題：
三百石印富翁白石畫于京華城西太平橋外。有色香味(篆)。白石又篆。
印章：
齊大(朱文)
年八十五矣(白文)
悔烏堂(朱文)
齊白石(白文)
年高身健不願作神仙(朱文)
收藏：
北京市文物公司
著録：
《齊白石繪畫精萃》第 205 圖，秦公、少楷主編，吉林美術出版社，1994 年，長春。

24. 讀書出富貴

立軸
紙本水墨設色
68.5×32cm
1945 年
款題：
讀書出富貴(篆)。鉅平小親家。八十五歲白石。
印章：
木人(朱文)
收藏：
中央美術學院

25. 蝦

立軸
紙本水墨
89×33.5cm
1945 年
款題：
八十五歲老人白石。惜故人鰈翁不見我衰老堪憐。
印章：
白石翁(朱文)
收藏：
中央美術學院
注釋：
題跋中所言鰈翁當是樊增祥。
齊白石在 1928 年自訂《借山吟館詩草》自序中云："……僅留此二本求樊鰈翁刪定，賜以警言……"

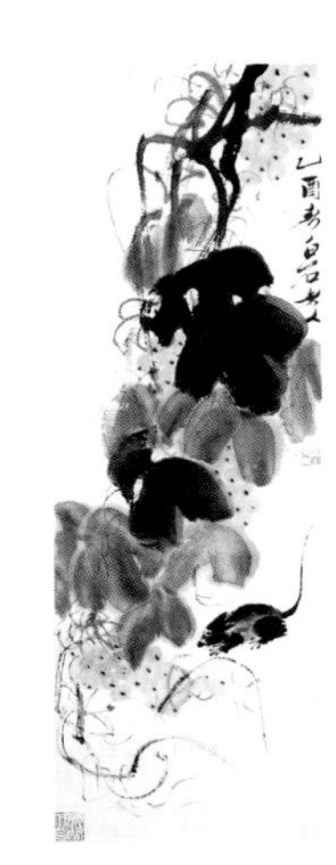

26. 葡萄老鼠

立軸
紙本水墨設色
104×34.5cm
1945 年
款題：
乙酉春。白石老人。
印章：
湘上老農(白文)
馬上斜陽城下花(白文)
收藏印：西安美術學院藏(朱文)
收藏：
西安美術學院

27. 桃花

立軸
紙本水墨設色
97×34cm
1945 年
款題：
星塘老屋後人。白石八十五歲。
印章：
年八十五矣(白文)
白石翁(朱文)
收藏：
齊白石紀念館

28. 墨蘭

立軸
紙本水墨
136×33cm
1945 年
款題：
孤高可挹供詩卷。素淡堪移入卧屏。借劉克莊句。八十五歲白石。乙酉。
罷看舞劍忙提筆。恥(耻)共簪花笑倚門。題陳紉蘭女士畫蘭句。白石。
印章：
白石翁(朱文)
年八十五矣(白文)
接木移花手段(白文)
收藏：
北京畫院

29. 牡丹蜻蜓

立軸
紙本水墨設色
110×35cm

1945 年
款題：
借山吟館主者齊白石客京華廿又九年。
印章：
借山翁(朱文)
收藏：
私人
著録：
《齊白石繪畫精品集》第 91 頁，人民美術出版社，1991 年，北京。

30. 松鼠荔枝
立軸
紙本水墨設色
90×40cm
1945 年
款題：
白石老人八十五歲矣。
印章：
木人(朱文)
白石相贈(白文)
收藏：
私人
著録：
《齊白石繪畫精品集》第 87 頁，人民美術出版社，1991 年，北京。

31. 老鼠葡萄
立軸
紙本水墨設色
73×32.5cm
1945 年
款題：
儒霖先生雅屬。乙酉秋八月。白石齊璜畫于暑退時也。
他人題記：
德篚補苔石月季
他人印：□
印章：
白石翁(朱文)
老夫也在皮毛類(白文)
收藏：
私人
著録：
《齊白石繪畫精萃》第 133 圖，秦公、少楷主编，吉林美術出版社，1994 年，長春。

32. 牽牛花
立軸
紙本水墨設色
66×33cm
1945 年
款題：
致遠先生清正。乙酉秋初。酷熱退早涼(凉)生。磨墨把筆。如意一揮。白石。
印章：
白石老人(白文)
湘上老農(白文)
一衿幽事砌蛩能説(朱文)
收藏：
私人
著録：
《齊白石畫海外藏珍》第 215 頁，王大山主编，榮寶齋(香港)有限公司，1994 年，香港。

33. 挖耳圖
立軸
紙本水墨設色
110×50.5cm
1945 年
款題：
白石老人八十五歲時用七十歲後自造稿。
他人題記：
白石翁寫羅漢。奇逸孤冷神似雪心。因近人不能為也。乙酉元旦半丁補成。
他人印：□□□
印章：
年八十五矣(白文)
收藏：
私人
著録：
《齊白石繪畫精萃》第 153 圖，秦公、少楷主编，吉林美術出版社，1994 年，長春。

34. 盜瓮圖
立軸
紙本水墨設色
95×53cm
1945 年
款題：
盜甕(瓮)圖(篆)。宰相歸田。囊底無錢。寧肯為盜。不肯傷廉。乙酉。予每此圖必題此十六字。八十五歲白石老人。
印章：
悔烏堂(朱文)　齊璜老手(白文)
年高身健不肯作神仙(朱文)
收藏：
私人
著録：
《齊白石繪畫精萃》第 138 圖，秦公、少楷主编，吉林美術出版社，1994 年，長春。

35. 畢卓盜酒
立軸
紙本水墨設色
95×50.2cm
約 40 年代中期
款題：
宰相歸田。囊底無錢。寧肯為盜。不肯傷廉。借山老人畫吾自畫改稾(稿)。
印章：
借山翁(朱文)　齊璜老手(白文)
魯班門下(白文)
年高身健不肯作神仙(朱文)
收藏：
私人
著録：
《齊白石作品集・第一集・繪畫》第 151 圖，人民美術出版社，1963 年，北京。
《齊白石畫集》第 84 圖，嚴欣强、金岩编，外文出版社，1991 年，北京。

36. 芋魁

立軸
紙本水墨
104×43cm
約40年代中期

款題：
芋魁(篆)。白石又篆。白石老人畫。

印章：
借山翁(朱文)
齊大(朱文)

收藏：
中國美術館

著録：
《齊白石繪畫精品選》第62頁，董玉龍主編，人民美術出版社，1991年，北京。

37. 事事清白

立軸
紙本水墨設色
103×34cm
1945年

款題：
事事清白(篆)。寄萍堂上老人。齊白石畫并篆四字。乙酉。

印章：
悔烏堂(朱文)
白石翁(朱文)
年八十五矣(白文)
倦也欲瞑君且去(白文)
收藏印：□

收藏：
私人

著録：
《齊白石畫海外藏珍》第205頁，王大山主編，榮寶齋(香港)有限公司，1994年，香港。

38. 牡丹蜜蜂

立軸
紙本水墨設色
61×32cm
1945年

款題：
借山老人八十五歲時。乙酉畫。

印章：
齊大(朱文)

收藏：
中國美術館

著録：
《齊白石繪畫精品選》第61頁，董玉龍主編，人民美術出版社，1991年，北京。

39. 水芋青蛙

立軸
紙本水墨
99×31cm
1945年

款題：
杏子　老農齊白石八十五歲。

印章：
借山翁(朱文)

收藏：
私人

著録：
《齊白石畫海外藏珍》第209頁，王大山主編，榮寶齋(香港)有限公司，1994年，香港。

40. 小鷄争食

册頁
紙本水墨
53×48.5cm
1945年

款題：
乙酉秋初。快慰時作。

印章：
齊白石(白文)

收藏：
私人

著録：
《齊白石繪畫精品集》第86頁，人民美術出版社，1991年，北京。

41. 青蛙蝌蚪

扇面
紙本水墨
17×56.6cm
1945年

款題：
冷盦(庵)仁弟正。八十五歲璜。

印章：
木人(朱文)

收藏：
私人

著録：
《齊白石繪畫精品集》第86頁，人民美術出版社，1991年，北京。

42. 蝦

鏡片
紙本水墨
37×52cm
1945年

款題：
白石老人八十五歲時畫于京華城西太平橋外。

印章：
齊大(朱文)

收藏：
私人

著録：
《齊白石繪畫精品集》第89圖，人民美術出版社，1991年，北京。

43. 簍蟹

立軸

紙本水墨
134×34cm
1945年

款題：

左手持霜螯。右手把酒杯。其樂何如。白石老人八十五歲。

印章：

知己有恩(朱文)
齊白石(白文)
故里山花此時開也(白文)

收藏：

中央美術學院附屬中學

44. 六蟹圖

立軸
紙本水墨
104.1×34.8cm
1945年

款題：

汝若是有心腸。何得既來又去。八十五歲白石老人畫意。

印章：

齊白石(白文)

收藏：

王方宇

著録：

《看齊白石畫》第43圖，王方宇、許芥昱合著，藝術圖書公司，1979年，臺北。

45. 牽牛花

立軸
紙本水墨設色
66.7×33cm
1945年

款題：

八十五歲白石老人客京華廿又九年。

印章：

齊大(朱文)
故里山花此時開也(白文)

收藏：

王方宇

著録：

《看齊白石畫》第35圖，王方宇、許芥昱合著，藝術圖書公司，1979年，臺北。

46. 福壽無疆

立軸
紙本水墨設色
99.5×33cm
1945年

款題：

福壽無疆。寄萍老人齊白石八十五歲時。

印章：

白石翁(朱文)

收藏：

天津人民美術出版社

47. 西瓜蝴蝶

立軸
紙本水墨設色
101×33.6cm
1945年

款題：

星塘老屋後人白石山翁畫瓜。時乙酉春初天日和暖。

印章：

白石(朱文)

收藏：

中國展覽交流中心

48. 藤花蜜蜂

立軸
紙本水墨設色
69×33cm
約40年代中期

款題：

白石山翁

印章：

老白(白文)

收藏：

中國美術館

著録：

《齊白石繪畫精品選》第73圖，董玉龍主編，人民美術出版社，1991年，北京。

49. 蔬香圖

橫幅
紙本水墨設色
33.2×100cm
1945年

款題：

蔬香圖(篆)。白石老人又篆。

友然仁兄先生清論。乙酉秋初暑退凉生時作。齊璜。

印章：

老白(白文)　借山翁(朱文)
悔烏堂(朱文)

收藏：

天津人民美術出版社

50. 壽桃

立軸
紙本水墨設色
136.5×35.5cm
1945年

款題：

極培先生五十歲榮慶。八十五歲白石。

印章：

借山翁(朱文)
人長壽(朱文)

收藏：

中國藝術研究院美術研究所

51. 燈蟹

立軸
紙本水墨設色
104.5×33cm
1945年

款題：

室中藜杖老何之。八五華年歸計遲。彊(强)作京華風雅客。夜深持蟹咏新詩。彊(强)作風雅客五字乃借人字樣。白石。

印章：

木人(朱文)
流俗之所輕也(白文)

收藏：

天津楊柳青書畫社

52. 松樹白屋

扇面
紙本水墨設色

17×48.5cm
1945 年
款題：
予不畫山水卅餘年矣。八十五歲白石。
印章：
老白(白文)
收藏：
天津人民美術出版社

53. 益壽延年
立軸
紙本水墨設色
142×34cm
1945 年
款題：
乙酉。八十五歲白石。
益壽延年(篆)。白石又篆。
印章：
齊大(朱文)
人長壽(朱文)
收藏：
私人
著録：
《齊白石畫集》第 85 圖，嚴欣强、金岩編，外文出版社，1991 年，北京。

54. 八哥海棠
立軸
紙本水墨設色
105×34.7cm
1945 年
款題：
等閒(閑)學得鸚哥語。也向人前說是非。白石老人。
印章：
木人(朱文)
浮名過實(朱文)
年八十五矣(白文)
收藏：
私人
著録：
《齊白石畫集》第 77 圖，嚴欣强、金岩編，外文出版社，1991 年，北京。

55. 歲朝圖
立軸
紙本水墨設色
136×34cm
1945 年
款題：

歲朝圖(篆)。八十五歲白石老人畫并篆三字。居京華廿又九年矣。
印章：
吾草木衆人也(朱文)
木人(朱文)
寂莫(寞)之道(白文)
收藏：
霍宗傑
著録：
《齊白石畫海外藏珍》第 101 圖，王大山主編，榮寶齋(香港)有限公司，1994 年，香港。

56. 枇杷
立軸
紙本水墨設色
104×36cm
1945 年
款題：
妙石仁弟雅屬。乙酉秋。白石老人作于京華。
印章：
齊璜老手(白文)
八十歲應門者(朱文)
收藏：
霍宗傑
著録：
《齊白石畫海外藏珍》第 104 圖，王大山主編，榮寶齋(香港)有限公司，1994 年，香港。

57. 荔枝蜻蜓圖
立軸
紙本水墨設色
103×34cm
約 40 年代中期
款題：
寄萍老人齊白石自欽州歸後。始畫荔枝。
印章：
齊大(朱文)
收藏：
中國美術館
著録：
《齊白石作品集》第 66 圖，董玉龍主編，天津人民美術出版社，1990 年，天津。
《齊白石繪畫精品選》第 41 頁，董玉龍主編，人民美術出版社，1991 年，北京。

58. 祥鴉
立軸
紙本水墨設色
136×60.5cm
約 40 年代中期
款題：
祥雅。白石老人。
印章：
白石(朱文)
收藏：
西安美術學院

59. 大吉大利
册頁
紙本水墨設色
17.4×25cm
約 40 年代中期
款題：
大吉大利(篆)。
小鶴先生雅屬。白石。
印章：
齊大(白文)
收藏：
南京博物院

60. 作伴祇蘆花
立軸
紙本水墨設色
112×38cm
約 40 年代中期
款題：
作伴只(祇)蘆花(篆)。白石老人并篆五字。
印章：
齊大(朱文)
借山翁(朱文)
收藏：
私人
著録：
《齊白石畫集》第 110 圖，嚴欣强、金岩編，外文出版社，1990 年，北京。
《齊白石繪畫精品選》第 28 頁，董玉龍主編，人民美術出版社，1991 年，北京。

61. 富貴有餘

立軸

紙本水墨設色

135.5×34cm

1945年

款題：

富貴有餘(篆)。

白石老人八十五歲時在京華城西借山 (吟)館作。

印章：

白石(朱文)

湘潭人也(白文)

一衿幽事砌蛩能説(朱文)

收藏：

中國展覽交流中心

62. 獨立堅固

立軸

紙本水墨設色

136.5×34cm

1945年

款題：

獨立堅固(篆)。

八十五歲白石老人畫時炎威。得雨却(却)退。

印章：

白石翁(朱文)

杏子隖老民(白文)

收藏：

中國展覽交流中心

63. 芋葉青蛙

立軸

紙本水墨

68.6×34.2cm

約40年代中期

款題：

白石老人齊璜。

印章：

齊大(朱文)

收藏：

中國美術館

64. 老當益壯

立軸

紙本水墨設色

96.3×40.5cm

1945年

款題：

老當益壯。八十五歲白石老人。

印章：

白石(朱文)

故里山花此時開也(白文)

悔烏堂(朱文)

收藏：

楊永德

著録：

《楊永德藏齊白石書畫》，中國嘉德'95秋季拍賣會圖録第298號，1995年，北京。

65. 挖耳圖

立軸

紙本水墨設色

68×34.2cm

1945年

款題：

寄萍老人齊璜畫于燕京。

此翁惡濁聲。久之。聲氣化為塵垢於耳底。如不取去。必生痛癢。能自取者亦巢父洗耳臨流。丙戌。白石又記于金陵。

真夫鄉長先生囑璜加款識以藏之。璜再三題記。

印章：

齊大(朱文)　白石(朱文)

阿芝(朱文)　借山翁(白文)

牽牛飲水圖(肖形印)

收藏：

香港蘇富比拍賣行

66. 蟠桃

立軸

紙本水墨設色

101×34.5cm

1946年

款題：

寄萍老人八十六歲多壽時作。

印章：

木人(朱文)

人長壽(朱文)

收藏：

廣州市美術館

67. 燈鼠

立軸

紙本水墨設色

69×34cm

1946年

款題：

明鐙(燈)底下想吃一點油。鼠子你好大的膽子。八十六歲白石。

印章：

苹翁(白文)

吾家衡嶽(岳)山下(朱文)

收藏：

陝西美術家協會

68. 紅蓼三蝦

立軸

紙本水墨設色

68.6×32.8cm

1946年

款題：

惟祺先生雅屬。八十六歲白石。

印章：

老白(白文)

收藏印：西安美術學院藏(朱文)

收藏：

西安美術學院

69. 蝦

立軸

紙本水墨

133×33.5cm

1946年

款題：

予四十歲後之畫蝦一大變。予自未之覺也。八十六歲白石。

印章：

老白(白文)

收藏：

天津楊柳青書畫社

70. 籬菊圖

立軸

紙本水墨設色

96×37cm

1946 年

款題：

德鄰先生正畫。丙戌。八十六歲白石。

印章：

白石(朱文)

星塘白屋不出公卿(朱文)

收藏：

廣西壯族自治區博物館

71. 梅蝶圖

立軸

紙本水墨設色

104×34cm

1946 年

款題：

芝鄰先生清屬。丙戌。八十六歲寄萍老人璜。

印章：

齊大(朱文)

收藏印：湖南省博物館藏品章(朱文)

收藏：

湖南省博物館

72. 荷花

立軸

紙本水墨設色

101×34cm

1946 年

款題：

芸皋先生正畫。丙戌四月。白石。

印章：

白石(朱文)

收藏印：湖南省博物館藏品章(朱文)

收藏：

湖南省博物館

73. 菊花

立軸

紙本水墨設色

102×34cm

1946 年

款題：

予居京華見菊花開廿又九回矣。未知故園東籬尚存否。白石。

印章：

齊白石(白文)

收藏印：湖南省中山圖書館珍藏(朱文)

收藏：

湖南省圖書館

74. 桂花雙兔

立軸

紙本水墨設色

104×33cm

1946 年

款題：

白石老人八十六歲作。

印章：

齊白石(白文)

齊大(朱文)

收藏：

上海朵雲軒

75. 百壽

立軸

紙本水墨設色

103×34cm

1946 年

款題：

八十六歲老人一日興至。連畫數幅。時客金陵。白石老人。

印章：

齊大(朱文)

人長壽(朱文)

收藏：

上海朵雲軒

76. 稻草麻雀

立軸

紙本水墨設色

135.7×32.4cm

1946 年

款題：

丙戌冬十又一月。白石。杏子隖老民製。

印章：

老白(白文)

收藏：

中國美術館

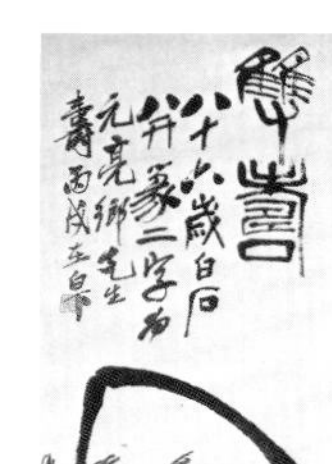

77. 雙壽圖

立軸

紙本水墨設色

101.6×33.1cm

1946 年

款題：

雙壽(篆)。八十六歲白石并篆二字為元亮鄉先生壽。丙戌在白下。

印章：

白石翁(朱文)

白石相贈(白文)

人長壽(朱文)

收藏：

王方宇

著録：

《看齊白石畫》第 39 圖，王方宇、許芥昱合著，藝術圖書公司，1979 年，臺北。

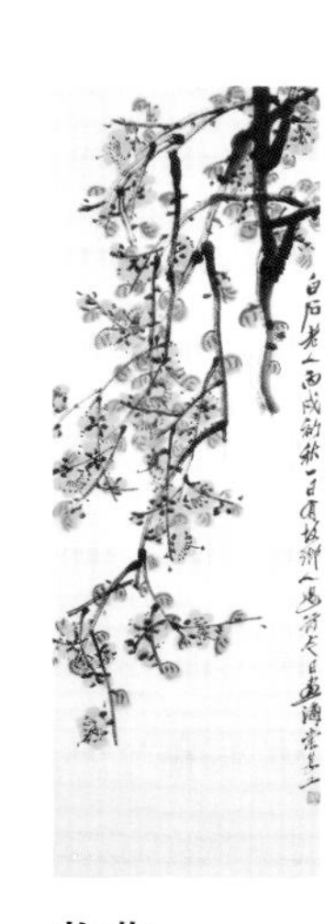

78. 海棠

立軸

紙本水墨設色

103×32cm

1946 年

款題：

白石老人。丙戌初秋一日。有故鄉人過訪。今日畫海棠甚工。

印章：

借山翁(白文)

收藏：

霍宗傑

著録：

《齊白石畫海外藏珍》第 105 圖，王大山主編，榮寶齋(香港)有限公司，1994 年，香港。

79. 雙桃

立軸

紙本水墨設色
100×34cm
1946年

款題：
楚湘先生五旬大慶。八十六歲白石。

印章：
白石（朱文）
人長壽（朱文）

收藏：
霍宗傑

著録：
《齊白石畫海外藏珍》第111圖，王大山主編，榮寶齋（香港）有限公司，1994年，香港。

80. 荷花
立軸
紙本水墨設色
69×37cm
1946年

款題：
雄文先生清正。八十六歲白石。丙戌。

印章：
白石翁（朱文）

收藏：
霍宗傑

著録：
《齊白石畫海外藏珍》第107圖，王大山主編，榮寶齋（香港）有限公司，1994年，香港。

81. 花草神仙
扇面
紙本水墨設色
18×49.5cm
1946年

款題：
花草神仙（篆）。
冷庵畫友論定。齊璜八十六歲。丙戌。

印章：
木人（朱文）

收藏：
私人

著録：
《齊白石繪畫精品集》第98頁，人民美術出版社，1991年，北京。

82. 蝴蝶蘭
立軸
紙本水墨設色
124×40cm
1946年

款題：
吾鄉有陳少藩先生。工詩。吾初棄（弃）斧斤時作蛱（蝴）蝶蘭畫為贈。題云。栩栩枝頭飛有意。春風吹動舞衣裳。陳喜。召至門下。八十六歲白石。

印章：
白石（朱文）
有情者必工愁（朱文）

收藏：
私人

著録：
《齊白石繪畫精品集》第96頁，人民美術出版社，1991年，北京。

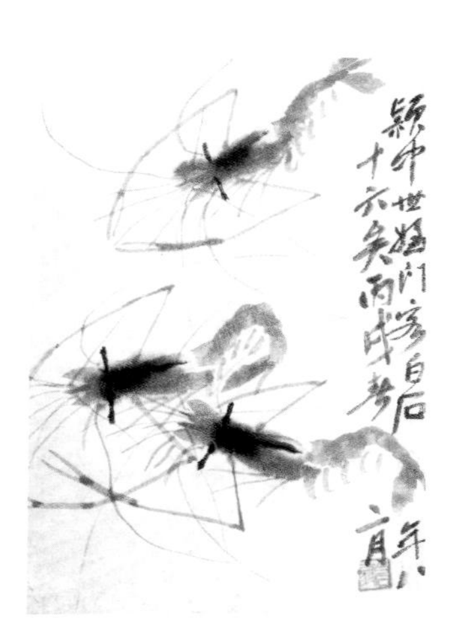

83. 蝦
册頁
紙本水墨
38×26cm
1946年

款題：
潁中世姪（侄）門客。白石年八十六矣。丙戌春二月。

印章：
白石翁（朱文）

收藏：
私人

著録：
《齊白石繪畫精品集》第99頁，人民美術出版社，1991年，北京。

84. 蝦
立軸
紙本水墨
112×40cm
約40年代中期

款題：
杏子隖老民白石。

印章：
齊大（朱文）

收藏：
中國美術館

著録：
《齊白石作品集》第37圖，董玉龍主編，天津人民美術出版社，1990年，天津。

85. 群蝦
立軸
紙本水墨
62.2×32.4cm
約40年代中期

款題：
杏子隖老民齊白石寫生半生。

印章：
齊大（朱文）

收藏：
中國美術館

著録：
《齊白石繪畫精品選》第66頁，董玉龍主編，人民美術出版社，1991年，北京。

86. 茶花

立軸
紙本水墨設色
134.2×32.8cm
約 40 年代中期

款題：

臙（胭）脂染就絳裙襴。張新句。經秋復立東南簷（檐）。日暖十指無寒。喜製此幅。齊璜記張新句。

印章：

白石翁（白文）

收藏：

中國美術館

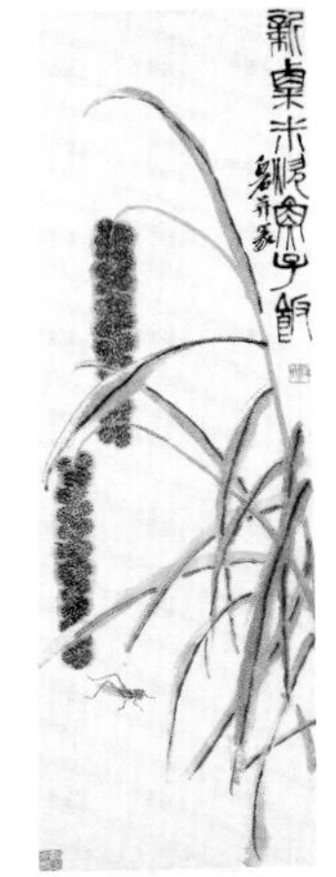

87. 新粟米炊魚子飯

立軸
紙本水墨設色
101×33cm
約 40 年代中期

款題：

新粟米炊魚子飯（篆）。白石并篆。

印章：

齊大（朱文）
湘上老農（白文）

收藏：

北京市文物公司

著録：

《齊白石繪畫精萃》第 130 圖，秦公、少楷主編，吉林美術出版社，1994 年，長春。

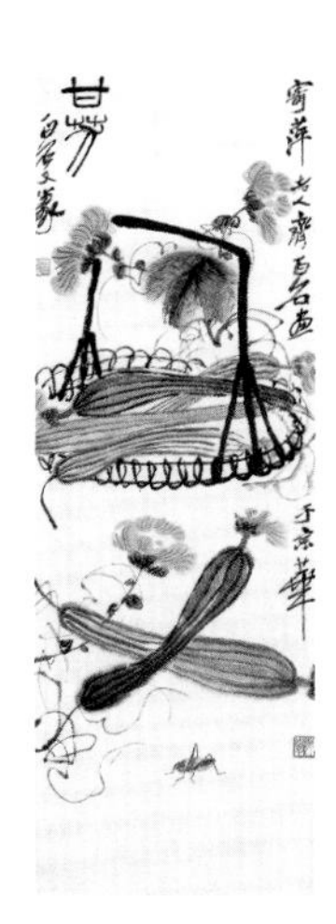

88. 甘芳圖

立軸
紙本水墨設色
101×33cm
約 40 年代中期

款題：

寄萍老人齊白石畫于京華。

甘芳（篆）。白石又篆。

印章：

借山翁（朱文）
白石翁（朱文）

收藏：

北京市文物公司

著録：

《齊白石繪畫精萃》第 129 圖，秦公、少楷主編，吉林美術出版社，1994 年，北京。

89. 大利圖

立軸
紙本水墨設色
88×31cm
約 40 年代中期

款題：

大利（篆）。日啖荔枝三百顆。不辭長作嶺南人。白石。

印章：

齊白石（白文）

收藏：

私人

著録：

《齊白石畫海外藏珍》第 97 圖，王大山主編，榮寶齋（香港）有限公司，1994 年，香港。

90. 栩栩欲飛

立軸
紙本水墨設色
100×33cm
約 40 年代中期

款題：

栩栩欲飛（篆）。借山吟館主者白石。

印章：

木人（朱文）
無君子不養小人（白文）

收藏：

私人

著録：

《齊白石繪畫精萃》第 128 頁，秦公、少楷主編，吉林美術出版社，1994 年，長春。

91. 烏子藤

立軸
紙本水墨
104×35cm
約 40 年代中期

款題：

寄萍老人齊白石畫于京華。

印章：

齊白石（白文）
一衿幽事砌蛩能説（朱文）
收藏印：霍氏宗傑鑑（鑒）藏（朱文）

收藏：

霍宗傑

著録：

《齊白石畫海外藏珍》第 102 圖，王大山主編，榮寶齋（香港）有限公司，1994 年，香港。

92. 大富貴

立軸
紙本水墨設色
100×33.5cm
約 40 年代中期

款題：

大富貴。
白石老人齊璜作。

印章：

齊大（朱文）

收藏：

私人

著録：

《齊白石繪畫精品選》第 71 頁，董玉龍主編，人民美術出版社，1991 年，北京。

93. 櫻桃

扇面
紙本水墨設色
24×53cm
約 40 年代中期

款題：

昔人不入時句云。早知不入時人眼。多買胭脂畫牡丹。予云。奪得佳人口上脂。畫出櫻桃始入時。白石老人。

印章：

木人（朱文）

收藏：

北京榮寶齋

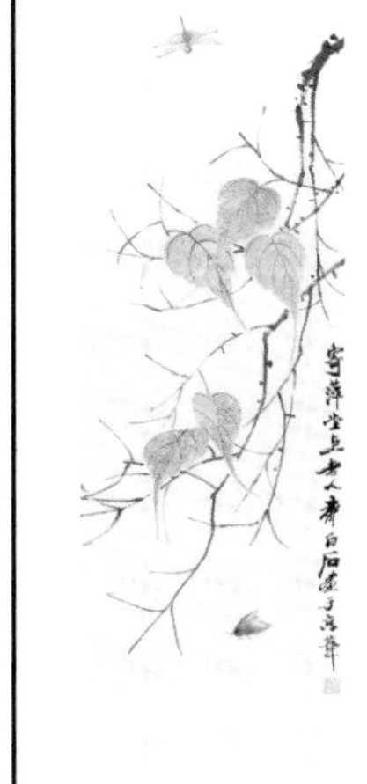

94. 貝葉草蟲

立軸
紙本水墨設色
102×34cm
約 40 年代中期

款題：

寄萍堂上老人齊白石畫于京華。

印章：

白石翁（白文）

收藏：

北京市文物公司

著録：

《齊白石繪畫精萃》第 135 圖，秦公、少楷主编，吉林美術出版社，1994 年，長春。

95. 菊蟹酒盞圖

立軸

紙本水墨設色

68×32.5cm

約 40 年代中期

款題：

白石老人製。

印章：

齊大(朱文)

收藏：

北京市文物公司

著録：

《齊白石繪畫精萃》第 84 圖，秦公、少楷主编，吉林美術出版社，1994 年，長春。

96. 梅花

立軸

紙本水墨設色

93.5×30cm

約 40 年代中期

款題：

昔人折梅當點心。可惜寒香人不嚼。白石老人齊璜畫。

印章：

齊白石(白文)

何要浮名(朱文)

收藏：

北京市文物公司

著録：

《齊白石繪畫精萃》第 69 圖，秦公、少楷主编，吉林美術出版社，1994 年，長春。

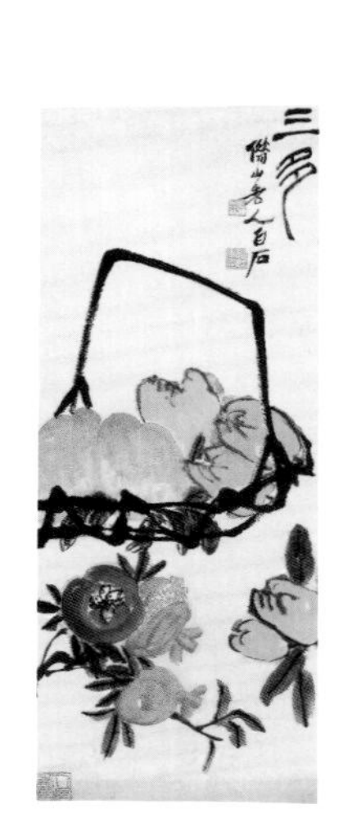

97. 三多

立軸

紙本水墨設色

115×47cm

約 40 年代中期

款題：

三多(篆)。借山老人白石。

印章：

借山翁(朱文)

齊璜之印(白文)

人長壽(朱文)

收藏：

北京市文物公司

著録：

《齊白石繪畫精萃》第 134 圖，秦公、少楷主编，吉林美術出版社，1994 年，長春。

98. 事事安然

立軸

紙本水墨設色

70.5×40cm

約 40 年代中期

款題：

事事安然(篆)。白石老人並(并)篆。

印章：

齊大(朱文)

收藏：

北京市文物公司

著録：

《翰海 '95 春季拍賣會・中國書畫》第 119 號，1995 年，北京。

99. 秋色秋聲

立軸

紙本水墨設色

101×34cm

1946 年

款題：

丙戌秋初再越五日乃九日矣。白石。

印章：

齊大(朱文)

歸夢看池魚(朱文)

收藏印：霍宗傑藏(朱文)

收藏：

霍宗傑

著録：

《齊白石畫海外藏珍》第 110 圖，王大山主编，榮寶齋(香港)有限公司，1994 年，香港。

100. 魚戲圖

立軸

紙本水墨

58×33cm

約 40 年代中期

款題：

白石

印章：

老苹(白文)

收藏：

私人

著録：

《齊白石繪畫精品選》第 67 頁，董玉龍主编，人民美術出版社，1991 年，北京。

101. 牽牛鵪鶉

立軸

紙本水墨設色

101×34cm

約 40 年代中期

款題：

星塘老屋後人。齊白石作。

印章：

白石翁(朱文)

湘潭人也(白文)

歸夢看池魚(朱文)

收藏印：霍宗傑精選齊白石書畫之印(朱文)

收藏：

霍宗傑

著録：

《齊白石畫海外藏珍》第 109 圖，王大山主编，榮寶齋(香港)有限公司，1994 年，香港。

102. 荔枝

立軸

紙本水墨設色

104.5×34.5cm

約 40 年代中期

款題：

園果無雙(篆)。予曾為天涯亭過客。故知此果之佳。白石。

印章：

齊大(朱文)

收藏：

私人

著録：

《齊白石畫集》第108圖，嚴欣强、金岩編，外文出版社，1991年，北京。

103. 花實各三千年

立軸

紙本水墨設色

110×38cm

約40年代中期

款題：

花實各三千年(篆)。白石老人。

印章：

齊大(朱文)

收藏：

私人

著録：

《齊白石畫集》第111圖，嚴欣强、金岩編，外文出版社，1991年，北京。

104. 貝葉秋蟬圖

立軸

紙本水墨設色

107×35cm

約40年代中期

款題：

白石老人寫意。

印章：

齊白石(白文)

湘潭人也(白文)

收藏：

私人

著録：

《齊白石繪畫精品集》第75頁，人民美術出版社，1991年，北京。

105. 群魚圖

立軸

紙本水墨

84.5×41.5cm

約40年代中期

款題：

三百石印富翁。白石山前老農人也。

印章：

齊大(朱文)

收藏印：白松(白文)

收藏：

私人

著録：

《齊白石繪畫精品集》第67頁，人民美術出版社，1991年，北京。

106. 紫藤

立軸

紙本水墨設色

136×35cm

約40年代中期

款題：

天半微風飛紫雪。離亂春思校更忙。白石老人任筆所之。句亦如之。

印章：

白石草衣(白文)

收藏：

私人

著録：

《齊白石繪畫精品集》第92頁，人民美術出版社，1991年，北京。

107. 玉蘭花

立軸

紙本水墨設色

101×32cm

約40年代中期

款題：

白石老人作。

印章：

白石翁(朱文)

收藏：

王方宇

著録：

《看齊白石畫》第33圖，王方宇、許芥昱合著，藝術圖書公司，1979年，臺北。

108. 瓶菊酒盞圖

立軸

紙本水墨設色

97×33cm

約40年代中期

款題：

借山老人齊白石。

印章：

齊大(朱文)

故鄉無此好天恩(朱文)

收藏：

王方宇

著録：

《看齊白石畫》第34圖，王方宇、許芥昱合著，藝術圖書公司，1979年，臺北。

109. 蘿蔔竹筍

扇面

紙本水墨設色

24×34cm

約40年代中期

款題：

白石老人晨興著色。時居京華齊家鐵屋。

印章：

木人(朱文)

收藏：

北京榮寶齋

110. 壽有酒有

立軸

紙本水墨設色

68×33.5cm

約40年代中期

款題：

壽有酒有(篆)。

三百石印富翁齊白石。

印章：

齊大(朱文)

收藏印：雋周所藏(朱文)

收藏：

江蘇省美術館

111. 荔枝蟋蟀

立軸

紙本水墨設色

70×34.5cm
約 40 年代中期
款題：
白石老人居京華時作。
印章：
齊大（朱文）
收藏：
上海中國畫院

112. 絲瓜
立軸
紙本水墨設色
103.5×35cm
約 40 年代中期
款題：
白石老人衰年。
印章：
白石翁（朱文）
麓山紅葉相思（白文）
收藏：
上海市文物商店

113. 寒夜客來茶當酒
立軸
紙本水墨設色
102×44cm
約 40 年代中期
款題：
寒夜客來茶當酒。杏子隖老民齊白石作。
印章：
齊大（朱文）
收藏：
遼寧省博物館
著録：
《齊白石畫集》第 36 圖，遼寧省博物館編，遼寧美術出版社，1961 年，瀋陽。

114. 草蟲
册頁
紙本水墨設色
32×40.5cm
約 40 年代中期
款題：
源離賢姪（侄）女之雅。白石老人璜寫。
印章：
白石翁（白文）
收藏：
中央工藝美術學院

115. 墨葡萄
扇面
紙本水墨
18×50cm
約 40 年代中期
款題：
寄萍堂上老人齊白石畫于京華城西鐵栅居。
印章：
白石老人（白文）
收藏：
天津人民美術出版社

116. 蘿蔔冬筍
鏡片
紙本水墨設色
32.7×34cm
約 40 年代中期
款題：
白石老人
印章：
白石翁（白文）
收藏：
天津人民美術出版社

117. 柿酒圖
立軸
紙本水墨設色
101.8×34.5cm
約 40 年代中期
款題：
萬事不如把酒彊（强）（篆）。白石老人并篆。
印章：
木人（朱文）
齊大（朱文）
收藏：
天津人民美術出版社

118. 大富貴圖
扇面
紙本水墨設色
18×53cm
約 40 年代中期
款題：
大富貴（篆）。白石老人并篆四字。
印章：
白石翁（朱文）
收藏：
天津人民美術出版社

119. 枇杷蜻蜓
册頁
紙本水墨設色
35×34cm

約 40 年代中期
款題：
白石老人
印章：
齊大（朱文）
收藏：
天津人民美術出版社

120. 荷花翠鳥
立軸
紙本水墨設色
100.2×34.2cm
約 40 年代中期
款題：
白石
印章：
齊大（朱文）
收藏：
天津人民美術出版社

121. 秋柿圖
立軸
紙本水墨設色
99.6×33.3cm
約 40 年代中期
款題：
杏子隖老民齊白石畫秋果。
印章：
白石（朱文）
收藏：
天津人民美術出版社

122. 魚群
立軸
紙本水墨
100×34cm
約 40 年代中期
款題：
予之畫動物人謂太不似。予自謂過于似。二者孰是非也。白石。
印章：
木人（朱文）
收藏：
中央工藝美術學院

123. 教子加官
立軸

紙本水墨設色
99.5×33.5cm
1946 年
款題：
教子加官。借山老人八十六歲時客京華。
印章：
齊大（朱文）
魯班門下（白文）
收藏：
齊白石紀念館

124. 荷花
立軸
紙本水墨設色
97×35.5cm
1946 年
款題：
借山老人白石八十六歲畫。
印章：
白石（朱文）
湘潭人也（白文）
王樊先去天留齊大作壽星（白文）
收藏：
齊白石紀念館

125. 群蝦
立軸
紙本水墨
100×34cm
1946 年
款題：
嘉麟大律師雅正。八十六歲齊白石。
印章：
白石（朱文）
雕蟲小技家聲（朱文）
收藏印：南京圖書館藏（白文）
收藏：
南京博物院

126. 群蝦（局部）

127. 紅梅八哥
立軸
紙本水墨設色
126×34cm
約 40 年代中期
款題：
白石老人
印章：
齊大（朱文）
收藏：
北京畫院

128. 菊花
立軸
紙本水墨設色
68×34cm
約 40 年代中期
款題：
寄萍堂上老人白石。
印章：
白石翁（朱文）
收藏：
首都博物館

129. 紅荷
立軸
紙本水墨設色
102×34cm
1946 年

款題：

方叔鄉先生同客京華。故能得殘荷。八十六歲白石。

印章：

白石(朱文)
湘潭人也(白文)
年近九十(白文)
老年肯如人意(白文)

收藏：

中國美術館

著録：

《齊白石繪畫精品選》第76頁，董玉龍主編，人民美術出版社，1991年，北京。

130. 富貴壽考

立軸
紙本水墨設色
103×34cm
1946年

款題：

富貴壽考(篆)。恕孜同里先生清正。齊璜白石。

印章：

白石翁(朱文)
百樹梨華主人(白文)
望白雲家山難捨(白文)
年高身健不肯作神仙(朱文)
收藏印：霍宗傑精選齊白石書畫之印(朱文)

收藏：

霍宗傑

著録：

《齊白石畫海外藏珍》第106圖，王大山主編，榮寶齋(香港)有限公司，1994年，香港。

131. 葫蘆草蟲

立軸
紙本水墨設色
102×34cm
1946年

款題：

借山老人白石八十六歲製于京華。德潔夫人清屬。

印章：

借山翁（朱文）
故里山花此時開也(白文)

收藏：

私人

著録：

《齊白石繪畫精萃》第136圖，秦公、少楷主編，吉林美術出版社，1994年，長春。

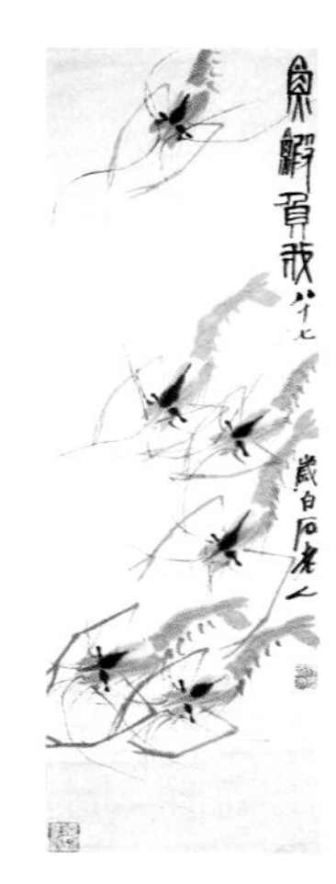

132. 魚蝦負我

立軸
紙本水墨
100×33cm
1947年

款題：

魚蝦負我。八十七歲白石老人。

印章：

齊璜老手（白文）
歸夢看池魚(朱文)

收藏：

湖南省圖書館

133. 多壽

立軸
紙本水墨設色
100×34.5cm
1947年

款題：

多壽。
八十七歲。丁亥。白石老人。

印章：

白石(朱文)
吾年八十七矣(白文)
人長壽(朱文)

收藏：

私人

134. 楓葉秋蟬

立軸
紙本水墨設色
65×33cm
1947年

款題：

霜葉丹紅花不如。
八十七歲白石。

印章：

木人(朱文)

收藏：

中國美術館

著録：

《齊白石繪畫精品選》第84頁，董玉龍主編，人民美術出版社，1991年，北京。

135. 名園無二

立軸
紙本水墨設色
105×35cm
1947年

款題：

名園無二。白石老人。

印章：

白石翁(朱文)
最工者愁(白文)

收藏：

私人

著録：

《齊白石繪畫精品集》第103頁，人民美術出版社，1991年，北京。

136. 花香墨香蝶舞墨舞都不能知

立軸
紙本水墨設色
105×35cm
1947年

款題：

花香墨香蝶舞墨舞都不能知(篆)。八十七歲白石作。

印章：

借山翁(白文)□
人長壽(朱文)

收藏：

中國美術館

著録：

《齊白石繪畫精品選》第78頁，董玉龍主編，人民美術出版社，1991年，北京。

137. 葡萄松鼠(蔬果動物冊頁之一)

冊頁
紙本水墨設色
34×34cm

1947 年
款題：
阿芝
印章：
借山翁(白文)
收藏：
中國美術館
著録：
《齊白石作品集》第 94 圖，董玉龍主編，天津人民美術出版社，1990 年，天津。

138. 盆草荔枝(蔬果動物册頁之二)
册頁
紙本水墨設色
34.3×34cm
1947 年
款題：
杏子隝老民
印章：
恨翁(朱文)
收藏：
中國美術館
著録：
《齊白石作品集》第 45 圖，董玉龍主編，天津人民美術出版社，1990 年，天津。

139. 竹笋麻雀(蔬果動物册頁之三)
册頁
紙本水墨設色

34×34cm
1947 年
款題：
星塘老屋何日重居。白石。
印章：
老白(白文)
收藏：
中國美術館
著録：
《齊白石作品集》第 96 圖，董玉龍主編，天津人民美術出版社，1990 年，天津。

140. 油燈老鼠(蔬果動物册頁之四)
册頁
紙本水墨設色
34.2×33.8cm
1947 年
款題：
丁亥四月。白石老人。
印章：
齊大(朱文)
收藏：
中國美術館
著録：
《齊白石作品集》第 97 圖，董玉龍主編，天津人民美術出版社，1990 年，天津。

141. 海棠小鷄(蔬果動物册頁之五)

册頁
紙本水墨設色
34.2×33.8cm
1947 年
款題：
白石
印章：
阿芝(朱文)
收藏：
中國美術館
著録：
《齊白石作品集》第 98 圖，董玉龍主編，天津人民美術出版社，1990 年，天津。

142. 酒壺螃蟹(蔬果動物册頁之六)
册頁
紙本水墨設色
34.3×34cm
1947 年
款題：
寄萍老人白石。
印章：
老齊(朱文)
收藏：
中國美術館
著録：
《齊白石作品集》第 99 圖，董玉龍主編，天津人民美術出版社，1990 年，天津。

143. 枇杷蜻蜓(蔬果動物册頁之七)
册頁
紙本水墨設色
34×34cm
1947 年
款題:
曾過白沙。白石。
印章:
白石翁(白文)
收藏:
中國美術館
著録:
《齊白石作品集》第 100 圖, 董玉龍主編, 天津人民美術出版社, 1990 年, 天津。

144. 菊花茶壺(蔬果動物册頁之八)
册頁
紙本水墨設色
33.9×33.7cm
1947 年
款題:
星塘老屋後人白石。
印章:
頻生(朱文)
收藏:
中國美術館
著録:
《齊白石作品集》第 101 圖, 董玉龍主編, 天津人民美術出版社, 1990年, 天津。

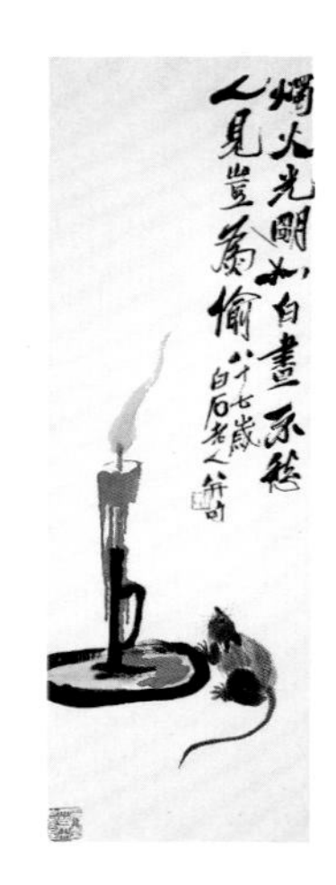

145. 鼠・燭
立軸
紙本水墨設色
103×33.5cm
1947 年
款題:
燭火光明如白晝。不愁人見豈為偷。
八十七歲白石老人并句。
印章:
白石(朱文)
王樊先去天留齊大作壽星(白文)
收藏:
中央美術學院附屬中學
著録:
《齊白石繪畫精品選》第 77 頁, 董玉龍主編, 人民美術出版社, 1991 年, 北京。

146. 大富貴兩白頭
立軸
紙本水墨設色
102×34cm
1947 年
款題:
大富貴兩白頭(篆)。三百石印富翁八十七歲尚客京華寄萍堂。
印章:
老木(朱文)
流俗之所輕也(白文)
收藏印:湖南省博物館藏品章(朱文)
湖南省文物管理委員會收藏(朱文)
收藏:
湖南省博物館

147. 螃蟹
立軸
紙本水墨
68×34cm
1947 年
款題:
金邨(村)先生屬畫。八十七歲白石。
他人題記:
無腸芒角獨披離。怒目琴聲更一奇。待到橙黄秋欲老。横行滄海幾多時。
齊翁畫蟹大于盤。潑墨淋灕未見難。别有高懷孤迴處。昆陵佳句與同看。金邨(村)先生方家出此幅屬題蕲正。弟袁文蔚。時戊子清龢(禾)苦雨新晴。
印章:
白石翁(朱文)
收藏印:湖南省博物館收藏印(朱文)
收藏:
湖南省博物館

148. 蜻蜓牽牛花
立軸
紙本水墨設色
96×50cm
1947 年
款題:
尊五鄉賢弟清正。丁亥。八十七歲白石。
印章:
白石翁(朱文)
收藏印: 湖南省文物管理委員會收藏(朱文)
收藏:
湖南省博物館

149. 蜻蜓牽牛花
立軸
紙本水墨設色
69×33cm
1947 年
款題:
起蟄鄉先生有道。璜畫烏烏之題句先生尚能記得。甚可感也。八十七歲白石。丁亥。
印章:
阿芝(朱文)
收藏印:湖南省博物館收藏(朱文)
收藏:
湖南省博物館

150. 鳳仙花
立軸
紙本水墨設色
96×35cm
1947 年

款題：

白石老人八十七歲作。時丁亥。

印章：

老白(白文)

收藏印：湖南省博物館收藏印(朱文)

收藏：

湖南省博物館

151. 石榴

立軸

紙本水墨設色

94×35cm

1947 年

款題：

聽聰賢世姪(侄)清屬。八十七歲白石贈。

印章：

借山翁(白文)

收藏印：湖南省中山圖書館珍藏(朱文)

收藏：

湖南省圖書館

152. 富貴壽考

立軸

紙本水墨設色

103.5×33.5cm

1947 年

款題：

富貴壽考(篆)。八十七歲白石老人畫并篆四字。

印章：

白石翁(朱文)

牽牛飲水圖(肖形印)

收藏：

上海市文物商店

153. 許君雙壽圖

立軸

紙本水墨設色

95.5×36.5cm

1947 年

款題：

許君雙壽(篆)。丁亥。八十七歲白石為伯苓校長榮壽。

印章：

白石(朱文)

齊璜之印(白文)

吾草木衆人也(朱文)

人長壽(朱文)

收藏：

北京市文物公司

著録：

《齊白石繪畫精萃》第 140 圖，秦公、少楷主編，吉林美術出版社，1994 年，長春。

154. 牽牛花

立軸

紙本水墨設色

50×35.5cm

1947 年

款題：

八十七歲白石老人一揮。

印章：

吾年八十七矣(白文)

白石(朱文)

三百石印富翁(朱文)

收藏：

北京市文物公司

著録：

《齊白石繪畫精萃》第 85 頁，秦公、少楷主編，吉林美術出版社，1994 年，長春。

155. 葡萄蝗蟲

立軸

紙本水墨設色

120×30cm

1947 年

款題：

白石老人八十七歲所作者。

印章：

白石(朱文)

吾年八十七矣(白文)

鬼神使之非人工(朱文)

收藏：

北京市文物公司

著録：

《齊白石繪畫精萃》第 196 頁，秦公、少楷主編，吉林美術出版社，1994 年，長春。

156. 吉利萬年

立軸

紙本水墨設色

151.5×60cm

1947 年

款題：

吉利萬年(篆)。丁亥。八十七歲齊白石。

印章：

借山翁(朱文)

年高身健不願作神仙(朱文)

收藏：

北京市文物公司

著録：

《齊白石繪畫精萃》第 139 圖，秦公、少楷主編，吉林美術出版社，1994 年，長春。

157. 蝦

立軸

紙本水墨

142×28cm

1947 年

款題：

予六十歲後之畫蝦一變。丁亥八十七矣。白石。

印章：

齊大(朱文)

三百石印富翁(朱文)

收藏：

北京市文物公司

著録：

《齊白石繪畫精萃》第 115 圖，秦公、少楷主編，吉林美術出版社，1994 年，長春。

158. 蝴蝶蘭・蜻蜓

立軸

紙本水墨設色

111.5×47cm

1947 年

款題：

借山老人白石八十七歲時畫于京華城西之鐵屋。

印章：

借山翁(朱文)

馬上斜陽城下花(白文)

收藏：

北京市文物公司

著録：

《齊白石繪畫精品選》第 81 頁，董玉龍主編，人民美術出版社，1991 年，北京。

《齊白石繪畫精萃》第 137 圖，秦公、少楷主編，吉林美術出版社，1994 年，長春。

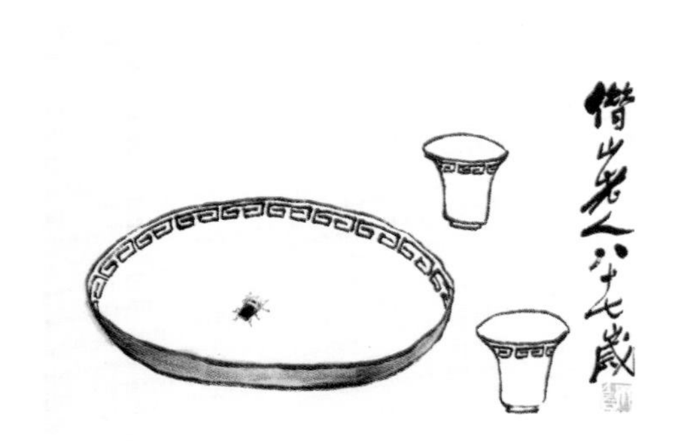

159. 蜂碟・酒杯

冊頁
紙本水墨設色
28×36cm
1947 年

款題：

借山老人八十七歲。

印章：

齊白石(白文)

收藏：

北京市文物公司

著録：

《齊白石繪畫精萃》第 189 圖，秦公、少楷主編，吉林美術出版社，1994 年，長春。

160. 金玉滿堂

鏡片
紙本水墨
字畫各 19×35.5cm
1947 年

款題：

金玉滿堂(篆)。白石題。
白石八十七歲畫。

印章：

借山翁(白文)　白石翁(白文)
尋常百姓人家(朱文)

收藏：

北京市文物公司

著録：

《翰海 '95 春季拍賣會・中國書畫》第 77 號，1995 年，北京。

161. 殘荷蜻蜓

立軸
紙本水墨設色
54×30cm
1947 年

款題：

白石翁

印章：

吾年八十七矣(白文)
白石(朱文)

收藏：

私人

著録：

《齊白石繪畫精品集》第 101 頁，人民美術出版社，1991 年，北京。

162. 楓林草蟲

立軸
紙本墨筆設色
98×32cm
1947 年

款題：

楓林在南嶽（岳）山下。白石。山間有亭名楓林。白石。

印章：

白石(朱文)
白石(朱文)

收藏：

私人

著録：

《齊白石繪畫精品集》第 97 頁，人民美術出版社，1991 年，北京。

163. 色香堅固

立軸
紙本水墨設色

128×34cm
1947 年

款題：

光照仁弟玩味。丁亥。八十七歲白石同客京華。

色香堅固(篆)。白石老人又篆。

印章：

借山翁(朱文)
白石(朱文)
悔烏堂(朱文)

收藏：

私人

著録：

《齊白石繪畫精品集》第 102 頁，人民美術出版社，1991 年，北京。

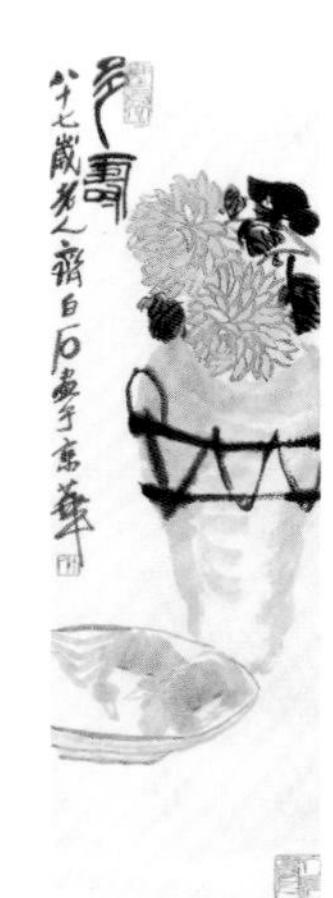

164. 多壽

立軸
紙本水墨設色
102×32.5cm
1947 年

款題：

多壽（篆）。八十七歲老人齊白石畫于京華。

印章：

木人(朱文)
悔烏堂(朱文)
人長壽(朱文)

收藏：

私人

著録：

《齊白石繪畫精品集》第 106 頁，人民美術出版社，1991 年，北京。

165. 與語如蘭

冊頁
紙本水墨
32×25cm
1947 年

款題：

与語如蘭。秀芳老弟命。八十七歲白石。丁亥。

印章：

借山翁(白文)

收藏：

私人

著録：

《齊白石繪畫精品集》第 104 頁，人民美術出版社，1991 年，北京。

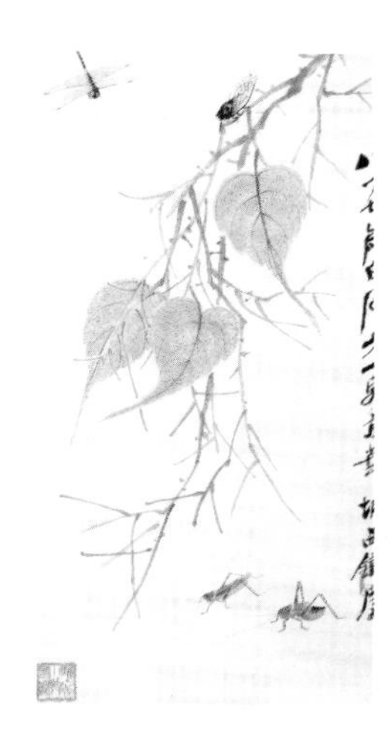

166. 貝葉草蟲

立軸

紙本工筆設色

104×52cm

1947 年

款題：

八十七歲白石老人客京華城西鐵屋。

印章：

白石(朱文)

雕蟲小技家聲(朱文)

收藏：

私人

著録：

《齊白石繪畫精品集》第 100 頁，人民美術出版社，1991 年，北京。

167. 螃蟹

立軸

紙本水墨

103×35cm

1947 年

款題：

寄萍堂上老人八十七歲所畫。八十歲之前不能為也。寄萍即白石也。

印章：

齊白石(白文)

歸夢看池魚(朱文)

收藏：

霍宗傑

著録：

《齊白石畫海外藏珍》第 116 圖，王大山主編，榮寶齋(香港)有限公司，1994 年，香港。

168. 竹鷄・鷄冠花

立軸

紙本水墨設色

116×41cm

1947 年

款題：

金陵先生。星塘老屋後人齊白石客京華第卅又二年。丁亥。

印章：

借山翁(朱文)

收藏印：□

收藏：

霍宗傑

著録：

《齊白石畫海外藏珍》第 115 圖，王大山主編，榮寶齋(香港)有限公司，1994 年，香港。

169. 紅蓼

立軸

紙本水墨設色

101×34cm

1947 年

款題：

琴軒先生清屬。丁亥。八十七歲白石老人畫。

印章：

白石(朱文)

鬼神使之非人工(朱文)

收藏：

私人

著録：

《齊白石畫海外藏珍》第 112 圖，王大山主編，榮寶齋(香港)有限公司，1994 年，香港。

170. 老鷹如鶴壽千年

立軸

紙本水墨

122×52cm

1947 年

款題：

老鷹如鶴壽千年。八十七歲白石。

印章：

齊璜老手(白文)

故鄉無此好天恩(朱文)

收藏：

中國美術館

著録：

《齊白石作品集》第 92 圖，董玉龍主編，天津人民美術出版社，1990 年，天津。

171. 玉米牽牛草蟲

立軸

紙本水墨設色

136×60cm

1947 年

款題：

借山老人齊白石八十七歲畫于京華城西鐵屋。

印章：

白石(朱文)

雕蟲小技家聲(朱文)

收藏：

中國美術館

著録：

《齊白石作品集》第 102 圖，董玉龍主編，天津人民美術出版社，1990 年，天津。

172. 墨竹

立軸

紙本水墨

133×29cm

1947 年

款題：

白石山翁製。

予就作畫之澹(淡)墨水筆寫名字。此前人多為之。非做作也。八十七歲白石又題。

印章：

白石翁(白文)　白石老人(白文)

大匠之門(白文)

收藏：

北京畫院

173. 垂柳雙牛圖

立軸

紙本水墨

127×33cm

1947 年

款題：

白石老人八十七歲時作畫。客京華。

印章：

借山翁(白文)

白石(朱文)

雕蟲小技家聲(朱文)

收藏：

中國展覽交流中心

著録：

《齊白石繪畫精萃》第 190 圖，秦公、少楷主編，吉林美術出版社，1994 年，長春。

174. 蝦

鏡片
紙本水墨
35×35cm
1947 年

款題：

念慈先生清屬。
丁亥。八十七歲白石。

印章：

齊白石(白文)
歸夢看池魚(朱文)

收藏：

南京博物院

175. 螃蟹

鏡片
紙本水墨
33×35cm
1947 年

款題：

念慈先生。八十七歲白石。

印章：

白石老人(白文)

收藏：

南京博物院

176. 老來與石同壽

立軸
紙本水墨設色
103.8×34.5cm
1947 年

款題：

李涵鄉先生清屬。
老來與石同壽(篆)。丁亥。八十七歲白石老人畫。客京華三十又二年。

印章：

悔烏堂(朱文)
白石(朱文)
人長壽(朱文)

收藏：

湘潭市圖書館

177. 富貴太平

立軸
紙本水墨設色
101×34cm
1947 年

款題：

富貴太平(篆)。八十七歲白石老人齊璜客居京華卅又二年。

印章：

白石(朱文)

收藏：

上海中國畫院

178. 喜上眉頭

立軸
紙本水墨設色
132×48cm
1947 年

款題：

喜上眉頭(篆)。丙戌冬。由金陵還燕京。作畫無多。丁亥。忽興高畫此幅。八十七歲白石。

印章：

木人(朱文)　白石(朱文)
吾草木衆人也(朱文)
鬼神使之非人工(朱文)

收藏：

上海朵雲軒

179. 白菜蘿蔔

立軸
紙本水墨設色

128×43cm
1947 年

款題：

子真先生清屬。丁亥秋九月。八十七歲白石。

印章：

齊大(白文)
白石(朱文)
三百石印富翁(朱文)

收藏：

私人

著録：

《齊白石畫集》第 91 圖，嚴欣强、金岩編，外文出版社，1991 年，北京。

180. 荷花鴛鴦

立軸
紙本水墨設色
112×38cm
1947 年

款題：

白石老人八十七歲。

印章：

老齊(朱文)

收藏：

私人

著録：

《齊白石畫集》第 93 圖，嚴欣强、金岩編，外文出版社，1991 年，北京。

181. 籬菊

立軸
紙本水墨設色
134×35cm
1947 年

款題：

寄萍老人齊白石丁亥八十七歲。尚客京華聽蓇蟬。

印章：

白石(朱文)

收藏：

私人

著録：

《齊白石畫集》第 96 圖，嚴欣强、金岩編，外文出版社，1991 年，北京。

182. 菊花八哥

立軸
紙本水墨設色
97.5×33cm

1947 年

款題：

丁亥秋八月。八十七由白下還京華。白石畫。

君高遷(篆)。北辰仁兄正此三字。中秋後三日。白石再題。

印章：

木人(朱文)

星塘白屋不出公卿(朱文)

白石(朱文)

吾草木衆人也(朱文)

收藏：

私人

著録：

《齊白石畫集》第 89 圖，嚴欣强、金岩编，外文出版社，1991 年，北京。

183. 紅蓼蜻蜓

立軸

紙本設色

70×33cm

1947 年

款題：

白石八十七歲。

印章：

白石(朱文)

收藏：

中國美術館

著録：

《齊白石繪畫精品選》第 80 頁，董玉龍主編，人民美術出版社，1991 年，北京。

184. 殘荷

立軸

紙本水墨設色

104×35cm

1947 年

款題：

八十七歲白石老人作。

印章：

白石翁(朱文)

收藏：

陝西美術家協會

185. 富貴白頭

立軸

紙本水墨設色

100×33cm

1947 年

款題：

富貴白頭(篆)。乾嘉間諸畫家皆喜以此四字為畫題。

子康先生清屬。八十七歲齊白石尚客京華。

印章：

白石(朱文)

收藏：

王方宇

著録：

《看齊白石畫》第 32 圖，王方宇、許芥昱合著，藝術圖書公司，1979 年，臺北。

186. 蝦蟹

立軸

紙本水墨

105×34cm

1947 年

款題：

丁亥冬。八十七歲白石老人畫。

印章：

借山翁(朱文)

三百石印富翁(朱文)

收藏：

中央工藝美術學院

187. 蝦

立軸

紙本水墨

102×33cm

1947 年

款題：

祥徵鄉先生正。借山老人齊白石。八十七歲時尚客京華。

印章：

齊白石(白文)

收藏：

廣州市美術館

188. 三千年之果

册頁

紙本水墨設色

24×50cm

1947 年

款題：

三千年之果。劍石世兄丁亥秋六六華年。予贈此紀其事。八十七歲白石。

印章：

吾年八十七矣(白文)

白石相贈(白文)

人長壽(朱文)

收藏印：湖南省博物館收藏(朱文)

收藏：

湖南省博物館

著録：

《齊白石繪畫選集》第 41 圖，湖南省博物館編，湖南美術出版社，1980 年，長沙。

189. 猫蝶圖

立軸

紙本水墨設色

139×35cm

1947 年

款題：

三百石印富翁齊璜畫于京華。時年八十七矣。明藩曾孫媳永寶。

印章：

白石翁(白文)

白石(朱文)

收藏：

廣州市美術館

190. 玉蘭

立軸

紙本水墨設色

96×50cm

1947 年

款題：

草木知春君最先。借山老人白石自白下還京華後製。

印章：

白石(朱文)

鬼神使之非人工(朱文)

收藏：

北京榮寶齋

191. 芭蕉麻雀

立軸

紙本水墨設色

99.5×32cm

1947年

款題：

丁亥春二月中。八十七歲白石由白下還燕越兩月矣。

印章：

吾年八十七矣(白文)

白石(朱文)

收藏：

廣西壯族自治區博物館

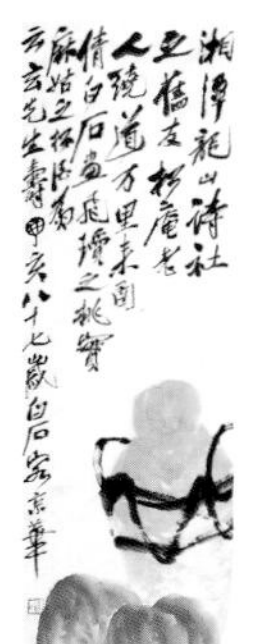

192. 壽桃酒壇

立軸

紙本水墨設色

133×32.5cm

1947年

款題：

湘潭龍山詩社之舊友松庵老人繞道萬里來函。倩白石畫飛瓊之桃實麻姑之杯酒。為云玄先生壽。丁亥。八十七歲白石客京華。

印章：

白石(朱文)　齊璜老手(白文)

吾年八十七矣(白文)

人長壽(朱文)

收藏：

陝西美術家協會

193. 借山吟館圖

立軸

紙本水墨設色

102×33cm

1947年

款題：

白石老人四十歲後之借山吟館。白石。

印章：

齊白石(白文)

吾年八十七矣(白文)

收藏：

天津人民美術出版社

194. 草蟲·游蝦

立軸

紙本水墨設色

101×34.2cm

1947年

款題：

翔林先生雅正。八十七歲丁亥。白石老人。

印章：

借山翁(白文)

收藏：

天津人民美術出版社

195. 南瓜冬筍蘑菇

立軸

紙本水墨設色

102.5×33cm

1947年

款題：

黃河以南之松山菌遠勝北地蘑菇。八十七歲白石。

印章：

借山翁(白文)

流俗之所輕也(白文)

收藏：

中國展覽交流中心

196. 許君松壽

立軸

紙本水墨

151×40cm

1947年

款題：

許君松壽(篆)。

寄萍老人齊白石五百廿甲子時。

印章：

吾年八十七(白文)

白石(朱文)

悔烏堂(朱文)

人長壽(朱文)

收藏：

中國展覽交流中心

197. 葫蘆何藥

立軸

紙本水墨設色

88×33cm

1947年

款題：

予老年眼之所見。耳之所聞。總覺人非。故嘗作（畫）問之。今畫此幅問曰。先生此葫蘆内是賣何藥也。八十七歲白石。丁亥。

印章：

齊璜老手(白文)

年高身健不肯作神仙(朱文)

收藏：

北京市文物公司

著録：

《齊白石繪畫精萃》第96圖，秦公、少楷主編，吉林美術出版社，1994年，長春。

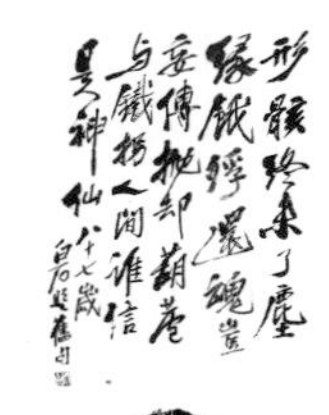

198. 鐵拐李

立軸

紙本水墨設色

101×33.5cm

1947年

款題：

形骸終未了塵緣。餓殍還魂豈妄傳。抛却葫蘆與鐵拐。人間誰信是神仙。八十七歲白石題舊句。

印章：

齊白石(白文)

年高身健不肯作神仙(朱文)

收藏：

天津人民美術出版社

199. 罵誰

立軸

紙本水墨設色

60×48cm

1947年

款題：

齊璜也曾仿造此像之減(減)筆并題罵誰二字。白石題。

印章：

齊白石(白文)

收藏：

私人

著録：

《齊白石繪畫精品集》第 107 圖，人民美術出版社，1991 年，北京。

200. 耳食

立軸

紙本水墨設色

102×34cm

1947 年

款題：

耳食(篆)。耳食不知其味也。八十七歲白石作。

印章：

借山翁(朱文)

悔烏堂(朱文)

流俗之所輕也(白文)

收藏：

中國展覽交流中心

著録：

《齊白石繪畫精萃》第 173 圖，秦公、少楷主编，吉林美術出版社，1994 年，長春。

201. 畢卓盜酒

立軸

紙本水墨設色

101×34cm

1947 年

款題：

宰相歸田。囊底無錢。寧肯作賊。不肯傷廉。老白題舊句。丁亥夏。

印章：

白石翁(朱文)

王樊先去天留齊大作壽星(白文)

收藏：

中國展覽交流中心

202. 得財圖

立軸

紙本水墨設色

92×43cm

1947 年

款題：

得財(篆)。丁亥。八十七歲白石老

人我用我本。時客京華。

印章：

齊白石(白文)

收藏：

中國美術館

著録：

《齊白石繪畫精品選》第 210 頁，董玉龍主编，人民美術出版社，1991 年，北京。

203. 蘭花(花卉草蟲册頁之一)

册頁

紙本水墨設色

45×34cm

1947 年

款題：

老齊。

白石五十八歲初來京華時作册子數部。今兒輩分炊各給一部。當作良田五畝。丁亥分給時又記。

印章：

齊白石(白文)　齊璜(白文)

丁巳劫灰之餘(白文)

收藏：

北京市文物公司

著録：

《齊白石繪畫精萃》第 141 圖，秦公、少楷主编，吉林美術出版社，1994 年，長春。

《齊白石繪畫精品選》第 139 圖，董玉龍主编，人民美術出版社，1991 年，北京。

204. 蟋蟀(花卉草蟲册頁之二)

册頁

紙本水墨設色

45×34cm

1947 年

款題：

此蟋蟀居也。昔人未曾言過。此言

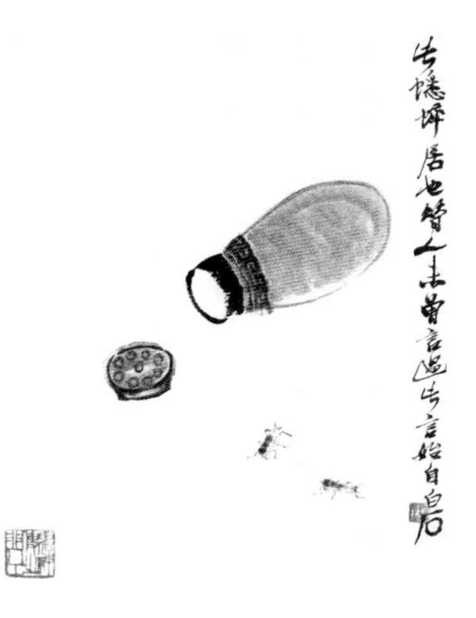

始自白石。

印章：

借山翁(白文)

鬼神使之非人工(朱文)

收藏：

北京市文物公司

著録：

《齊白石繪畫精萃》第 142 圖，秦公、少楷主编，吉林美術出版社，1994 年，長春。

205. 慈姑・螻蛄(花卉草蟲册頁之三)

册頁

紙本水墨設色

45×34cm

1947 年

款題：

寄萍堂上老人

印章：

白石老人(白文)

吾年八十七矣(白文)

星塘白屋不出公卿(朱文)

收藏：

北京市文物公司

著録：

《齊白石繪畫精品萃》第 143 圖，秦公、少楷主编，吉林美術出版社，1994 年，長春。

206. 稻穗・蝗蟲(花卉草蟲册頁之四)

冊頁
紙本水墨設色
45×34cm
1947年

款題：

杏子塢老民

印章：

齊璜(白文)
流俗之所輕也(白文)

收藏：

北京市文物公司

著録：

《齊白石繪畫精萃》第144圖，秦公、少楷主編，吉林美術出版社，1994年，長春。

207. 雁來紅(花卉草蟲冊頁之五)

冊頁
紙本水墨設色
45×34cm
1947年

款題：

白石

印章：

苹翁(白文)

收藏：

北京市文物公司

著録：

《齊白石繪畫精萃》第145圖，秦公、少楷主編，吉林美術出版社，1994年，長春。

208. 海棠花・蜜蜂(花卉草蟲冊頁之六)

冊頁
紙本水墨設色
45×34cm
1947年

款題：

齊璜八十七歲時一揮。

印章：

白石翁(朱文)
容顏減(減)盡但餘愁(朱文)

收藏：

北京市文物公司

著録：

《齊白石繪畫精萃》第146圖，秦公、少楷主編，吉林美術出版社，1994年，長春。

《齊白石繪畫精品選》第140頁，董玉龍主編，人民美術出版社，1991年，北京。

209. 牽牛花

立軸
紙本水墨設色
85×50.5cm
1948年

款題：

戊子。八十八歲白石。

印章：

白石(朱文)　窮後能詩(朱文)
老年肯如人意(白文)

收藏：

中國美術館

著録：

《齊白石作品集》第108圖，董玉龍主編，天津人民美術出版社，1990年，天津。

210. 菊酒延年

立軸
紙本水墨設色
103×68cm
1948年

款題：

菊酒延年(篆)。白石又篆。戊子。八十八歲白石老人製于京華。

印章：

借山老人(白文)
齊璜老手(白文)
人長壽(朱文)

收藏：

中央美術學院

著録：

《齊白石繪畫精品選》第86頁，董玉龍主編，人民美術出版社，1991年，北京。

211. 多壽

立軸
紙本水墨設色
139.9×61.2cm
1948年

款題：

多壽(篆)。戊子。八十八歲齊白石。

印章：

借山翁(朱文)
人長壽(朱文)

收藏：

中國美術館

212. 菖蒲青蛙

立軸

紙本水墨

104.4×34.4cm

1948年

款題:

吾鄉有鐵蘆塘。塘尾多菖蒲。可雅觀。八十八歲白石。

印章:

白石翁(朱文)

吾年八十八(朱文)

三千門客趙吴無(白文)

收藏:

中國美術館

著録:

《齊白石繪畫精品選》第96頁,董玉龍主編,人民美術出版社,1991年,北京。

213. 蛙戲圖

立軸

紙本水墨

67×34.3cm

1948年

款題:

借山吟館主者。八十八歲製于京華。

印章:

老木(朱文)　最工者愁(白文)

收藏:

中國美術館

著録:

《齊白石繪畫精品選》第87頁,董玉龍主編,人民美術出版社,1991年,北京。

214. 荔枝樹

立軸

紙本水墨設色

172×68.5cm

1948年

款題:

畫荔枝從來無此大幅。有大幅從此幅始。戊子。八十八歲白石。

印章:

白石(朱文)

吾年八十八(朱文)

望白雲家山難捨(白文)

年高身健不肯作神仙(朱文)

收藏:

中國美術館

著録:

《齊白石作品集》第107頁,董玉龍主編,天津人民美術出版社,1990年,天津。

215. 紫藤蜜蜂

立軸

紙本水墨設色

185.7×33.6cm

1948年

款題:

戊子第四日。八十八歲齊白石畫于京華。

印章:

木人(朱文)

曾經灞橋風雪(白文)

收藏:

中國美術館

著録:

《齊白石繪畫精品選》第92頁,董玉龍主編,人民美術出版社,1991年,北京。

216. 蘆葉小魚

立軸

紙本水墨

101.4×34cm

1948年

款題:

貫儒先生清屬。戊子。白石。

印章:

齊白石(白文)

歸夢看池魚(朱文)

收藏:

中國美術館

217. 蝦·蟹

立軸

紙本水墨

103×34cm

1948年

款題:

尊五鄉賢弟清屬。戊子。八十八歲白石。

印章:

齊白石(白文)

吾所能者樂事(朱文)

收藏印:湖南省博物館收藏印(朱文)

收藏:

湖南省博物館

218. 豐年

立軸

紙本水墨設色

101.8×33.8cm

1948年

款題:

豐年。戊子。八十八歲齊白石老人。

印章:

齊白石(白文)

悔烏堂(朱文)

吾年八十八(朱文)

鬼神使之非人工(朱文)

收藏:

中國美術館

著録:

《齊白石作品集》第109圖,董玉龍主編,天津人民美術出版社,1990年,天津。

《齊白石繪畫精品選》第85頁,董玉龍主編,人民美術出版社,1991年,北京。

219. 桃花八哥

立軸

紙本水墨設色

102×34cm

1948年

款題:

八十八歲白石老人。

印章:

白石翁(朱文)

收藏印:湖南省博物館藏品章(朱文)

收藏:

湖南省博物館

220. 自稱(鼠子册頁之一)

册頁
紙本水墨
27×36cm
1948 年

款題:
自稱(篆)。白石老人。

印章:
齊大(朱文)
收藏印:湖南省博物館收藏(朱文)

收藏:
湖南省博物館

著録:
《齊白石繪畫選集》第 33 圖, 湖南省博物館編, 湖南美術出版社, 1980 年, 長沙。

221. 鼠·柿子花生(鼠子册頁之二)

册頁
紙本水墨設色
27×36cm
1948 年

款題:
白石老人寫于京華。

印章:
齊白石(白文)
收藏印:湖南省博物館收藏(朱文)

收藏:
湖南省博物館

著録:
《齊白石繪畫選集》第 37 圖, 湖南省博物館編, 湖南美術出版社, 1980 年, 長沙。

222. 鼠·南瓜(鼠子册頁之三)

册頁
紙本水墨設色
27×36cm
1948 年

款題:
戊子。白石一揮。

印章:
白石(朱文)
收藏印:湖南省博物館收藏(朱文)

收藏:
湖南省博物館

著録:
《齊白石繪畫選集》第 35 圖, 湖南省博物館編, 湖南美術出版社, 1980 年, 長沙。

223. 鼠·蘿蔔(鼠子册頁之四)

册頁
紙本水墨設色
27×36cm
1948 年

印章:
白石翁(朱文)
收藏印:湖南省博物館收藏(朱文)

收藏:
湖南省博物館

224. 鼠·笋(鼠子册頁之五)

册頁
紙本水墨設色
27×36cm
1948 年

款題:
一日為悲鴻校長畫鼠十二頁。友人見之亦復屬為之。八十八歲白石。

印章:
白石翁(朱文)
收藏印:湖南省博物館收藏(朱文)

收藏:
湖南省博物館

著録:
《齊白石繪畫選集》第 34 圖, 湖南省博物館編, 湖南美術出版社, 1980 年, 長沙。

225. 松樹八哥

立軸
紙本水墨
102×34cm
1948 年

款題:
起蟄先生正。八十八歲白石老人。

印章:
借山翁(白文)
吾年八十八(朱文)
收藏印: 湖南博物館收藏印(朱文)

收藏:
湖南省博物館

著録:
《齊白石繪畫選集》第 44 圖, 湖南省博物館編, 湖南美術出版社, 1980年, 長沙。

226. 牽牛花

扇面
紙本水墨設色
27×59cm
1948 年

款題:
戊子。白石。

印章:

白石老人(白文)

收藏:

湖南省博物館

227. 願人長壽

立軸

紙本水墨設色

103×34cm

1948 年

款題:

願人人長壽。少衡先生正。八十八白石。

印章:

齊大(朱文)

人長壽(朱文)

收藏印:湖南省博物館收藏(朱文)

收藏:

湖南省博物館

228. 紅梅

立軸

紙本水墨設色

106×34cm

1948 年

款題:

鉞芳先生正之。戊子年初夏時。八十八歲白石。

印章:

齊白石(白文)

收藏印:湖南省博物館收藏印(朱文)

收藏:

湖南省博物館

229. 鳳仙花

立軸

紙本水墨設色

105×35cm

1948 年

款題:

白石老人。行年八十八矣。

印章:

白石翁(朱文)

收藏:

遼寧省博物館

著録:

《齊白石畫集》第 45 圖, 遼寧博物館編, 遼寧美術出版社, 1961 年, 瀋陽。

230. 多壽圖

立軸

紙本水墨設色

117×49cm

1948 年

款題:

多壽多壽(篆)。戊子。八十八歲白石一揮。并篆多壽多壽四字。

印章:

吾年八十八(朱文)

白石(朱文)

杏子隖老民(白文)

人長壽(朱文)

收藏:

遼寧省博物館

著録:

《齊白石畫集》第 44 圖, 遼寧博物館編, 遼寧美術出版社, 1961 年, 瀋陽。

231. 茨菇青蛙

立軸

紙本水墨

103.5×34.3cm

1948 年

款題:

戊子秋。八十八歲白石老人。

印章:

借山翁(白文)

收藏:

北京故宫博物院

232. 公鷄小鷄

立軸

紙本水墨設色

104×35cm

1948 年

款題:

戊子。八十八歲白石老人製。

印章:

白石翁(朱文)

吾年八十八(朱文)

悔烏堂(朱文)

三百石印富翁(朱文)

著録:

《齊白石畫海外藏珍》第 118 圖, 王大山主編, 榮寶齋(香港)有限公司, 1994 年, 香港。

233. 青蛙蝌蚪

立軸

紙本水墨

101×34cm

1948 年

款題:

蓬舟先生正。戊子。八十八白石。

印章:

白石(朱文)

收藏印:霍宗傑藏(朱文)

收藏:

霍宗傑

著録:

《齊白石畫海外藏珍》第 121 圖, 王大山主編, 榮寶齋(香港)有限公司, 1994 年, 香港。

234. 三魚圖

立軸

紙本水墨

100×33cm

1948 年

款題:

谷冰先生雅屬。八十八歲白石。

印章:

吾年八十八(朱文)

借山翁(朱文)

收藏印:霍宗傑精選齊白石書畫之印(朱文)

收藏:

霍宗傑

著録:

《齊白石畫海外藏珍》第 122 圖, 王大山主編, 榮寶齋(香港)有限公司, 1994 年, 香港。

235. 松鼠圖

立軸

紙本水墨

106×33cm

1948 年

款題:

許君得松亦延年益壽。丁亥除夕。白石老人八十八矣。因題吉祥語也。

印章:

借山翁(朱文)

收藏:

霍宗傑

著録：

《齊白石畫海外藏珍》第 117 圖，王大山主編，榮寶齋（香港）有限公司，1994 年，香港。

236. 枇杷螞蚱

册頁

紙本水墨設色

32.8×32.5cm

1948 年

款題：

白石老人八十八歲時。

印章：

借山翁（白文）

收藏：

天津人民美術出版社

237. 葡萄蜜蜂

册頁

紙本水墨設色

32.8×32.5cm

1948 年

款題：

白石

印章：

齊大（白文）

收藏：

天津人民美術出版社

238. 柿子蜻蜓

册頁

紙本水墨設色

32.8×32.5cm

1948 年

款題：

五世分甘。戊子。八十八歲白石。

印章：

木人（朱文）

收藏：

天津人民美術出版社

239. 牽牛花

立軸

紙本水墨設色

101×33cm

1948 年

款題：

八十八歲白石山翁。齊璜一揮。

印章：

白石（朱文）

吾年八十八（朱文）

雕蟲小技家聲（朱文）

收藏：

陝西美術家協會

240. 游蝦剪刀草

立軸

紙本水墨

103.5×43.5cm

1948 年

款題：

八十八歲老人白石所畫。

印章：

白石（朱文）

吾年八十八（朱文）

收藏：

陝西美術家協會

241. 秋荷

立軸

紙本水墨設色

134×32.5cm

1948 年

款題：

八十八歲白石一揮。

印章：

白石（朱文）

收藏：

上海美術家協會

242. 菊花綬帶

立軸

紙本水墨設色

103×34cm

1948 年

款題：

八十八歲白石。

印章：

齊白石（白文）

尋常百姓人家（朱文）

收藏：

上海美術家協會

243. 牽牛花

立軸

紙本水墨設色

115×40cm

1948 年

款題：

寄萍堂上老人齊白石。戊子八十八歲矣。

印章：

白石（朱文）

最工者愁（白文）

收藏：

私人

著録：

《齊白石畫集》第 101 圖，嚴欣强、金岩編，外文出版社，1991 年，北京。

244. 蝦

立軸

紙本水墨

81.5×33.5cm

1948 年

款題：

一鳴先生清正。戊子。八十八歲齊白石。

印章：

齊白石（白文）

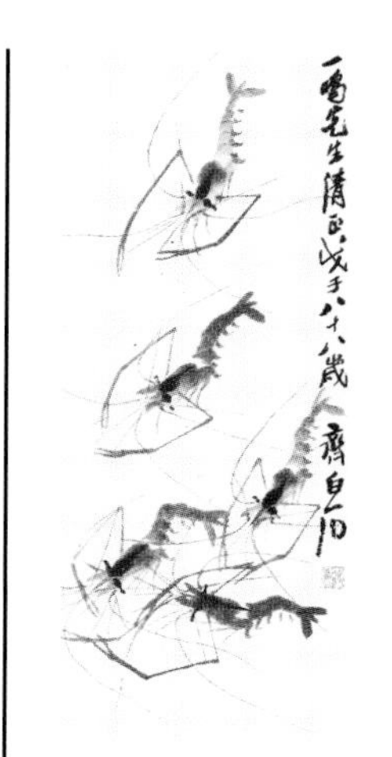

收藏：

私人

著録：

《齊白石畫集》第104圖，嚴欣强、金岩編，外文出版社，1991年，北京。

245. 葫蘆

册頁

紙本水墨設色

32.5×48cm

1948年

款題：

今年又添一歲。八十八矣。其畫筆已稍去舊樣否。湘潭齊璜謹問天下之高明。戊子。

印章：

齊白石(白文)

收藏：

私人

著録：

《齊白石畫集》第98圖，嚴欣强、金岩編，外文出版社，1991年，北京。

246. 螃蟹

立軸

紙本水墨

100×33cm

1948年

款題：

作人畫友直論。戊子。八十八歲白石。

印章：

借山翁(白文)

吾年八十八(朱文)

歸夢看池魚(朱文)

收藏：

私人

著録：

《齊白石繪畫精品集》第108頁，人民美術出版社，1991年，北京。

247. 太平吉利

立軸

紙本水墨設色

101.6×35cm

1948年

款題：

太平吉利（篆）。戊子。八十八歲白石老人。

印章：

齊大(朱文)

收藏：

王方宇

著録：

《看齊白石畫》第38圖，王方宇、許芥昱合著，藝術圖書公司，1979年，臺北。

248. 荷花雙蝦圖

立軸

紙本水墨設色

86×36cm

1948年

款題：

力克先生正。戊子。八十八歲白石。

印章：

白石翁(朱文)

歸夢看池魚(朱文)

收藏：

私人

著録：

《齊白石繪畫精品集》第109頁，人民美術出版社，1991年，北京。

249. 墨蟹

立軸

紙本水墨

105×35cm

1948年

款題：

文炳世姪（侄）女雅玩。戊子夏初。八十八歲白石老人。

印章：

白石(朱文)

收藏印：新會霍氏宗傑鑑(鑒)藏(朱文)

收藏：

霍宗傑

著録：

《齊白石畫海外藏珍》第123圖，王大山主編，榮寶齋(香港)有限公司，1994年，香港。

250. 墨蝦

立軸

紙本水墨

67×36cm

約40年代晚期

款題：

聯芳先生清屬。齊白石璜。

印章：

白石翁(朱文)

尋常百姓人家(朱文)

收藏：

私人

著録：

《齊白石畫海外藏珍》第119圖，王大山主編，榮寶齋(香港)有限公司，1994年，香港。

251. 荔枝

立軸

紙本設色

97×36cm

1948年

款題：

何處名園有佳果。徐寅已説荔枝先。八十八白石。

印章：

白石翁(朱文)

木人(朱文)

收藏印：湖南省文物管理委員會收藏印(朱文)

收藏：

湖南省博物館

252. 雄鷄

立軸

紙本設色

100×33cm

1948年

款題：

思源先生正。戊子年八十八。白石。

印章：

齊大(朱文)

收藏印：霍宗傑精選齊白石書畫之印(朱文)

收藏：

霍宗傑

著録：

《齊白石畫海外藏珍》第 125 圖，王大山主編，榮寶齋(香港)有限公司，1994 年，香港。

253. 桃

立軸

紙本設色

105×34.5cm

1948 年

款題：

君穀先生六一大慶。戊子。八十八歲白石。印章：

白石(朱文)

歸夢看池魚(朱文)

收藏：

中國美術館

著録：

《齊白石繪畫精品選》第 91 頁，董玉龍主編，人民美術出版社，1991 年，北京。

254. 芙蓉雙鴨

立軸

紙本水墨設色

100×33.5cm

1948 年

款題：

戊子。八十八歲白石老人。

印章：

齊白石 (白文)

借山翁(朱文)

收藏：

中國展覽交流中心

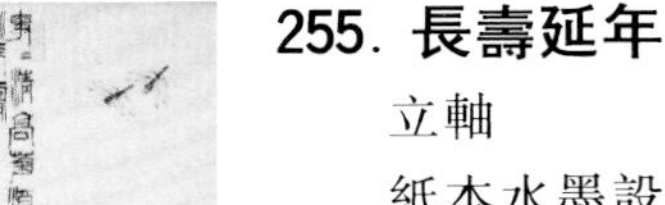

255. 長壽延年

立軸

紙本水墨設色

187×47.5cm

1948 年

款題：

事事清高。菊酒延年。蟠桃長壽。(篆)

戊子。八十八歲白石老人。

印章：

吾年八十八(朱文)

齊白石(白文)

君子之量容人(朱文)

人長壽(朱文)

收藏：

中國展覽交流中心

著録：

《齊白石繪畫精萃》第 188 圖，秦公、少楷主编，吉林美術出版社，1994年，長春。

256. 鷹

立軸

紙本水墨

180×47cm

1948 年

款題：

德鄰先生清正。戊子。齊璜白石八十八歲尚客京華城西鐵柵屋。

印章：

齊璜(白文)

白石(朱文)

吾年八十八(朱文)

寄萍堂(白文)

人長壽(朱文)

收藏：

北京市文物公司

著録：

《齊白石繪畫精萃》第 155 頁，秦公、少楷主编，吉林美術出版社，1994年，長春。

257. 壽酒

立軸

紙本水墨設色

102×34cm

1948 年

款題：

壽酒。其薰鄉先生長壽。八十八歲白石。

印章：

白石翁(朱文)

君子之量容人(朱文)

人長壽(朱文)

吾年八十八(朱文)

收藏：

北京市文物公司

著録：

《齊白石繪畫精萃》第 158 圖，秦公、少楷主編，吉林美術出版社，1994 年，長春。

258. 延年益壽

立軸

紙本水墨設色

80×43.5cm

1948 年

款題：

延年益壽(篆)。戊子重九。碧崖女弟。八十八歲翁白石。

印章：

齊白石(白文)

吾年八十八(朱文)

人長壽(朱文)

君子之量容人(朱文)

收藏：

私人

著録：

《齊白石繪畫精萃》第 156 圖，秦公、少楷主編，吉林美術出版社，1994 年，長春。

《中國嘉德'94 春季拍賣會·中國書畫》第 120 號，1994 年，北京。

259. 荷花鴛鴦

立軸

紙本水墨設色

96×50.5cm

1948 年

款題：

德潔夫人正。戊子夏初。齊璜白石

製于京華。

印章：

白石(朱文)　木人(朱文)

人長壽(朱文)

吾年八十八(朱文)

收藏：

北京市文物公司

著録：

《齊白石繪畫精萃》第 154 圖，秦公、少楷主编，吉林美術出版社，1994 年，長春。

《齊白石繪畫精品選》第 95 頁，董玉龍主編，人民美術出版社，1991 年，北京。

260. 荷花

立軸

紙本水墨設色

103×34cm

1948 年

款題：

德鄰先生德潔夫人同正。八十八歲白石。

印章：

齊璜(白文)

年高身健不肯作神仙(朱文)

收藏：

北京市文物公司

著録：

《齊白石繪畫精品選》第 94 頁，董玉龍主編，人民美術出版社，1991 年，北京。

《齊白石繪畫精萃》第 159 圖，秦公、少楷主编，吉林美術出版社，1994 年，長春。

261. 燈鼠圖

立軸

紙本水墨設色

103×33.5cm

1948 年

款題：

德鄰先生德潔夫人同正。戊子元旦。八十八歲齊白石。

印章：

白石翁(朱文)

星塘白屋不出公卿(朱文)

收藏：

北京市文物公司

著録：

《齊白石繪畫精品選》第 89 頁，董玉龍主編，人民美術出版社，1991 年，北京。

《齊白石繪畫精萃》第 157 圖，秦公、少楷主编，吉林美術出版社，1994 年，長春。

262. 清平有期

立軸

紙本水墨設色

110×35cm

1948 年

款題：

安得清平早有期。雌雄一對不相離。戊子元日。八十八歲白石老人喜題。

印章：

齊大(朱文)

收藏：

北京市文物公司

著録：

《齊白石繪畫精萃》第 104 圖，秦公、少楷主编，吉林美術出版社，1994 年，長春。

263. 牽牛花・蜻蜓

立軸

紙本水墨設色

45×34cm

1948 年

款題：

八十八歲白石老人。

印章：

白石翁(朱文)

吾年八十八(朱文)

收藏：

北京市文物公司

著録：

《齊白石繪畫精品選》第 141 頁，董玉龍主編，人民美術出版社，1991 年，北京。

《齊白石繪畫精萃》第 147 頁，秦公、少楷主编，吉林美術出版社，1994 年，長春。

264. 蝴蝶蘭・螳螂（花卉草蟲册頁之一）

册頁

紙本水墨設色

45×34cm

1948 年

款題：

濱生

印章：

齊白石(白文)

馬上斜陽城下花(白文)

收藏：

北京市文物公司

著録：

《齊白石繪畫精萃》第 148 圖，秦公、少楷主编，吉林美術出版社，1994 年，長春。

265. 墨竹・蝗蟲（花卉草蟲册頁之二）

册頁

紙本水墨設色

45×34cm

1948 年

款題：

新家餘霞峰。白石。

印章：

老齊（朱文）

望白雲家山難捨（白文）

收藏：

北京市文物公司

著録：

《齊白石繪畫精萃》第149圖，秦公、少楷主編，吉林美術出版社，1994年，長春。

266. 紅葉·雙蝶（花卉草蟲册頁之三）

册頁

紙本水墨設色

45×34cm

1948年

款題：

湖南麓山之紅葉。惜北方人士未見也。此楓葉也。北方西山亦謂為紅葉。白石。

印章：

苹翁（白文）

曾經灞橋風雪（白文）

收藏：

北京市文物公司

著録：

《齊白石繪畫精萃》第150圖，秦公、少楷主編，吉林美術出版社，1994年，長春。

267. 水草·游蟲（花卉草蟲册頁之四）

册頁

紙本水墨設色

45×34cm

1948年

款題：

阿芝

印章：

齊白石（白文）

老年肯如人意（白文）

收藏：

北京市文物公司

著録：

《齊白石繪畫精萃》第151圖，秦公、少楷主編，吉林美術出版社，1994年，長春。

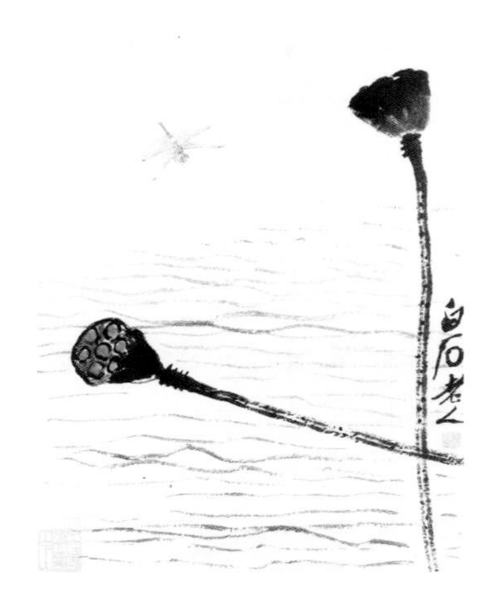

268. 蓮蓬·蜻蜓（花卉草蟲册頁之五）

册頁

紙本水墨設色

45×34cm

1948年

款題：

白石老人

印章：

老白（白文）

吾家衡嶽（岳）山下（朱文）

收藏：

北京市文物公司

著録：

《齊白石繪畫精萃》第152圖，秦公、少楷主編，吉林美術出版社，1994年，長春。

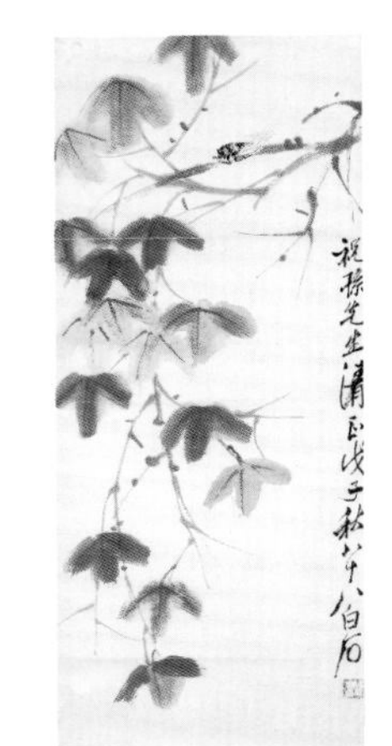

269. 紅葉鳴蟬

立軸

紙本水墨設色

84×35cm

1948年

款題：

祝孫先生清正。戊子秋。八十八白石。

印章：

白石（朱文）

收藏：

私人

著録：

《翰海'95春季拍賣會·中國書畫》第191號，1995年，北京。

270. 老者多壽　少者多子

立軸

紙本水墨設色

104×34.5cm

1948年

款題：

老者多壽。少者多子。多壽世姪（侄）鄉先生清鑒。戊子元月。八十八歲白石老人。

印章：

吾草木衆人也（朱文）

借山翁（白文）

白石（朱文）　人長壽（白文）

收藏：

齊白石紀念館

271. 荷花

鏡片

紙本水墨設色

67.8×33.5cm

1948年

款題：

八十八歲白石。戊子。

印章：

白石翁（白文）

收藏：

齊白石紀念館

272. 延年益壽

立軸
紙本水墨設色
103×34cm
1948 年

款題：

延年益壽(篆)。八十八歲白石并篆四字。

印章：

齊白石(白文)
吾年八十八(朱文)
吾所能者樂事(朱文)

收藏：

齊白石紀念館

273. 無量壽佛

立軸
紙本水墨設色
115×39.5cm
1948 年

款題：

無量壽佛(篆)。祥熊先生供奉。八十八歲齊璜。

印章：

齊白石(白文)

收藏：

私人

著録：

《翰海 '95 春季拍賣會・中國書畫》第 120 號，1995 年，北京。

274. 紫藤

立軸
紙本水墨設色
100×34cm
1948 年

款題：

開在群花最上層。白石老人并舊句。

印章：

吾年八十八(朱文)
白石(朱文)
歸夢看池魚(朱文)

收藏：

齊白石紀念館

275. 竹鷄

册頁
紙本水墨設色
28.5×17cm
約 1948 年

款題：

羽毛自知美。被人呼作鷄。白石者。

印章：

齊大(白文)

收藏：

北京榮寶齋

276. 八哥

册頁
紙本水墨設色
28.5×17cm
約 1948 年

款題：

愛説儘管説。只(衹)莫説人之不善。白石老人。

印章：

阿芝(朱文)

收藏：

北京榮寶齋

277. 鴉

册頁
紙本水墨
28.5×17cm
約 1948 年

款題：

白石

印章：

木人(朱文)

收藏：

北京榮寶齋

278. 梨花

册頁
紙本水墨設色
28×17.5cm
約 1948 年

款題：

梨花小院懷人。白石。

印章：

白石(朱文)

收藏：

北京榮寶齋

279. 笋

册頁
紙本水墨
28×17.5cm
約 1948 年

款題：

當(擋)路不肯讓人。白石。
印章：
齊白石(白文)
收藏：
北京榮寶齋

280. 牽牛
冊頁
紙本水墨設色
32.5×48cm
約40年代晚期
款題：
用汝牽牛鵲橋過。那時雙鬢却無霜。白石。
印章：
木人(朱文)
收藏：
私人
著録：
《齊白石畫集》第97圖，嚴欣强、金岩編，外文出版社，1991年，北京。

281. 群蝦戲菊圖
立軸
紙本水墨設色
104×39cm
約40年代晚期
款題：
借山老人白石客京華作。
白石老人客京華。弟為羽綸同志添字。九十五歲白石。
印章：
白石(朱文)　白石(朱文)
收藏：
私人
著録：
《齊白石繪畫精品集》第94頁，人民美術出版社，1991年，北京。

282. 花卉
鏡片
紙本水墨設色
32×32.5cm

約40年代晚期
款題：
借山老人白石。
印章：
阿芝(朱文)
收藏：
北京市文物公司
著録：
《齊白石繪畫精萃》第70圖，秦公、少楷主編，吉林美術出版社，1994年，長春。

283. 楓葉寒蟬
鏡片
紙本水墨設色
27×35cm
約40年代晚期
款題：
麓山之紅葉甲天下。白石。
印章：
阿芝(朱文)
收藏：
北京市文物公司
著録：
《齊白石繪畫精萃》第207圖，秦公、少楷主編，吉林美術出版社，1994年，長春。

284. 多子
立軸
紙本水墨
101.1×32.4cm
約40年代晚期

款題：
多子(篆)。白石老人。
印章：
齊璜老手(白文)
收藏：
南京博物院

285. 菜根有真味
立軸
紙本水墨設色
102×34cm
約40年代晚期
款題：
三代為農夫。才曉得菜根有真味。白石。
印章：
老白(白文)
容顏減（减）盡但餘愁(朱文)
收藏：
霍宗傑
著録：
《齊白石畫海外藏珍》第113圖，王大山主編，榮寶齋(香港)有限公司，1994年，香港。

286. 竹鷄
鏡片
紙本水墨設色
34.4×33.4cm
約1948年
款題：
借山老人白石也曾寫生。
印章：
老白(白文)
收藏印：仁和沈氏曾藏(朱文)
收藏：
夏衍原藏，現藏浙江省博物館。

287. 荷花

立軸

紙本水墨設色

51×23.5cm

約 40 年代晚期

款題：

白石老人

印章：

苹翁(白文)

收藏印：篤周所藏(朱文)

收藏：

江蘇省美術館

288. 鷄冠花

立軸

紙本水墨設色

138×34cm

約 40 年代晚期

款題：

予舊有題矮鷄冠花句云。笑君如此真才短。衆草低睡覺見高。白石。

印章：

白石翁(朱文)

收藏：

陝西美術家協會

289. 棕樹鷄雛

立軸

紙本水墨設色

93×34.3cm

約 40 年代晚期

款題：

白石老人

印章：

白石(朱文)

收藏：

香港佳士得拍賣行

290. 蘭花

立軸

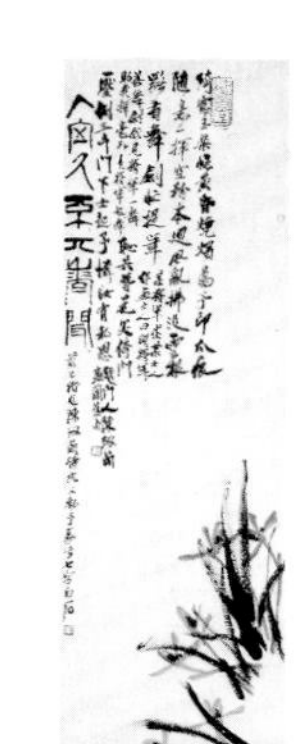

紙本水墨

135.4×33.6cm

40 年代晚期

款題：

綺窗玉案憶黄昏。燒燭為予印爪痕。隨意一揮空粉本。迴風亂拂没雲根。罷看舞劍忙提筆。某將軍求某士人作畫。士人曰。聞將軍善舞劍。願見將軍一舞。助我揮毫。于是。將軍起舞。恥(耻)共簪花笑倚門。壓倒三千門下士。起予憐汝有私恩。題門人陳紉蘭畫蘭舊句。

入室久不其香聞(篆)。前已借題陳紉蘭詩。客又勸予篆此七字。白石。

印章：

木人(朱文)　齊大(白文)

悔烏堂(朱文)

收藏：

中國美術館

291. 葫蘆螳螂

立軸

紙本水墨設色

68×33cm

40 年代晚期

款題：

白石

印章：

借山老人(白文)

收藏：

中國美術館

著録：

《齊白石作品集》第 58 圖，董玉龍主編，天津人民美術出版社，1990 年，天津。

292. 荔枝

立軸

紙本水墨設色

122×33cm

約 40 年代晚期

款題：

名園無二。白石老人。

印章：

白石翁(朱文)

最工者愁(白文)

收藏：

私人

著録：

《齊白石繪畫精品集》第 103 頁，人民美術出版社，1991 年，北京。

293. 醉秋圖

立軸

紙本水墨設色

100.6×34cm

約 40 年代晚期

款題：

南嶽(岳)山下楓林亭畔。白石。

印章：

老白(白文)

收藏印：東北美專珍藏(朱文)

收藏：

魯迅美術學院

294. 蛙

册頁

紙本水墨

34.5×39.5cm

40 年代晚期

款題：

白石老人

印章：

白石(朱文)

收藏：

中央美術學院附屬中學

295. 牽牛花

立軸

紙本水墨設色

103×34.5cm

40 年代晚期

款題:

吾舊句云。用汝牽牛過橋去。那時雙鬢却無霜。白石。

印章:

木人(朱文)

百樹梨花主人(白文)

收藏印:□

收藏:

首都博物館

296. 牽牛鷄雛

立軸

紙本水墨設色

107×40cm

1948 年

款題:

鑄九先生屬。星塘老屋後人白石。戊子。八十八歲作。

印章:

借山翁(朱文)

收藏:

江蘇省美術館

297. 葡萄松鼠

立軸

紙本水墨設色

102×33cm

1948 年

款題:

静逸鄉先生清屬。戊子。八十八白石。

印章:

白石(朱文)

吾所能者樂事(朱文)

收藏印:湖南省中山圖書館珍藏(朱文)

收藏:

湖南省圖書館

298. 魚・蟹・蝦

立軸

紙本水墨

100×34cm

1948 年

款題:

春伯鄉先生之雅。八十八歲白石。

印章:

齊大(白文)

吾年八十八(朱文)

收藏印:湖南省中山圖書館珍藏(朱文)

收藏:

湖南省圖書館

299. 歡天喜地

立軸

紙本水墨設色

102×33cm

1948 年

款題:

借山吟館主者八十八歲作。

印章:

白石(朱文)

人長壽(朱文)

收藏:

私人

著録:

《齊白石畫海外藏珍》第 120 圖,王大山主編,榮寶齋(香港)有限公司,1994 年,香港。

300. 白菜

立軸

紙本水墨設色

118×40cm

1948 年

款題:

仲武先生清屬。戊子秋中後。八十八歲白石一揮。

印章:

齊白石(白文)

收藏:

天津市藝術博物館

著録:

《齊白石繪畫精品選》第 93 頁,董玉龍主編,人民美術出版社,1991 年,北京。

301. 延年

立軸

紙本水墨設色

118.5×40cm

1948 年

款題:

延年(篆)。八十八歲白石老人戊子夏五月作。

印章:

吾年八十八(朱文)

白石(朱文)

人長壽(朱文)

收藏:

北京市文物商店

著録:

《齊白石繪畫精品選》第 90 頁,董玉龍主編,人民美術出版社,1991 年,北京。

302. 枇杷

立軸

紙本設色

103×34cm

1948 年

款題:

八硯樓頭久别人齊白石畫。戊子。

印章:

齊大(朱文)

收藏印:湖南省博物館收藏印(朱文)

收藏:

湖南省博物館

303. 福禄鴛鴦

立軸

紙本設色

125×42cm

1948 年

款題:

白石年八十八。

印章:

借山翁(白文)

吾年八十八(朱文)

人長壽(朱文)

收藏:

私人

著録:

《齊白石畫海外藏珍》第 124 圖,王大山主編,榮寶齋(香港)有限公司,1994 年,香港。

本卷承蒙下列單位與個人的熱情支持與大力協助。特此致謝!

中國美術館
北京市文物公司
湖南省博物館
天津人民美術出版社
中國展覽交流中心
北京榮寶齋
湘潭齊白石紀念館
中央美術學院
西安美術學院
南京博物院
湖南省圖書館
陝西美術家協會
遼寧省博物館
中央美術學院附中
廣州市美術館
江蘇省美術館
北京畫院
上海朵雲軒
天津楊柳青書畫社
中央工藝美術學院
首都博物館
廣西壯族自治區博物館
上海市文物商店
中國藝術研究院美術研究所
上海中國畫院
天津藝術博物館
香港蘇富比拍賣行
香港加士得拍賣行
浙江省博物館
湘潭市圖書館
魯迅美術學院
上海美術家協會
霍宗傑先生
王方宇先生
楊永德先生

(按所收作品數量順序排列)

總 策 劃：郭天民　蕭沛蒼
總 編 輯：郭天民
總 監 製：蕭沛蒼

齊白石全集編輯委員會
主　　編：郎紹君　郭天民
編　　委：李松濤　王振德　羅隨祖　舒俊傑
郎紹君　郭天民　蕭沛蒼　李小山
徐　改　敖普安

本卷主編：郎紹君
責任編輯：姚陽光
圖版攝影：孫智和　黎　丹
著　　録：徐　改　敖普安　李小山
黎　丹　章小林　姚陽光
注　　釋：郎紹君　徐　改
英文翻譯：張少雄
責任校對：彭　英
總體設計：戈　巴

齊白石全集　第六卷

出版發行：湖南美術出版社
(長沙市人民中路103號)
經　　銷：全國各地新華書店
印　　製：深圳華新彩印製版有限公司
一九九六年十月第一版　第一次印刷

ISBN7—5356—0892—2/J·817